Hanada新書 001

放送禁止。

「あさ8」で知るニュースの真相

百田尚樹・有本香

Naoki Hyakut

飛鳥新社

まえがき

この本はネット番組「ニュース生放送　あさ8時！」(月〜金、八時〜一〇時の生放送。以下、「あさ8」）の内容を再構成し文字にしたものです。

同番組は、二〇二二年の一一月二一日に、私の思い付きから始まったものです。それまでDHCがスポンサーとなった「真相深入り！虎ノ門ニュース」(以下、「虎ノ門ニュース」）というネット番組があったのですが、同年同月にDHCが会社を売却したことによって終了となりました。

私（百田尚樹）はそこで毎週火曜日のレギュラーコメンテーターを七年以上やっていましたが、番組終了の一一月一八日（金曜日）の翌日、YouTube で、「来週の月曜日、『ひとり虎ノ門ニュース』をやります」と告知しました。これは本当に気まぐれな発言で、七年もやっていたので、まあ、週に一回くらい一人でニュース解説でもやってみようかという軽い気持ちでした。

ところが、その YouTube を見た有本香さんから電話があり、

「ひとり虎ノ門ニュース、面白いじゃないの。私も乗るわ」

と言ってきたのです。

有本香さんも「虎ノ門ニュース」の人気レギュラーコメンテーターの一人で、木曜日を担当していました。そんな彼女から声がかかって、二人で何の準備もないままにネット番組を立ち上げることになったのですが、スタート直後に有本さんが「最初だけは毎日やろう」と言い出しました。私も「まあ、一週目くらいはそれでもいいか」と了承したのですが、二週目になっても有本さんは休もうとしません。どうやらエンジンがかかってしまったようなのです。そして気づいたら、月~金の帯番組で二年近くもやるはめになっていました。

ただ、元来夜型の私にとって、毎日の早起きはきつく、週のうち二、三回しか出演できません。有本さんは皆勤で出演ですから、実は「あさ8」は有本香さんの番組になっているといっても過言ではありません。

さて前置きが長くなりましたが、「あさ8」は一言でいえば「タブーなきニュース解説」です。政治、国際、経済のニュースを主に取り上げていますが、地上波テレビが絶対にやらない切り口で解説しています。この本をお読みになっている読者の皆さんならご存じでし

ょうが、テレビは実は非常に制約の多いメディアで、ニュース番組なども真実の報道からはほど遠いものになっています。さらにテレビ局というのは、「左翼的」で、「売国的」で、「偽善的」です。したがって、中国や北朝鮮といった共産主義国を非難するような報道、左翼政党にとってマイナスになるような報道、弱者ビジネスとしか言いようのない各種団体（NPOや社団法人）の欺瞞《ぎまん》を追及するような報道などは、かなり抑制されたものになっているし、時には「報道しない自由」を駆使して、国民の目から重要なニュースを隠します。

しかし「あさ8」はそうした忖度《そんたく》は一切ありません。テレビが取り上げないニュースも堂々と取り上げますし、テレビの解説者が絶対に言わないこともはっきり言います。もし、私たちの発言が地上波テレビで流れたら、それだけでニュースになるでしょう。この本のタイトルが「放送禁止。」となっているのは、そういう理由です。

また有本香さんの肝《きも》の据《す》わり方は尋常ではなく、相手が中国だろうと大物政治家だろうと、バッサバッサと斬っていきます。一流ジャーナリストだけに情報量も豊富で、私は番組中に「そんな情報をどこで仕入れてきたんやろう」と感心することがしょっちゅうです。それでいて時には私に負けないくらいの毒舌を吐きます。手前みそですが、こんな番組が面白くないわけがありません。

ただ残念ながら、世の中の人の大多数はいまだにテレビを盲信し、テレビが言っていることは正しいと思い込んでいます。実は国ごとのテレビに対する信頼度を調べた調査があり、それによると発展途上国の国民ほどテレビを信じ、先進国になるほど国民はテレビを信じないという結果が出ています。日本は先進国であるにもかかわらず、テレビに対する信頼度は発展途上国並みに高いのです。

また、日本人のテレビに対する信頼度を年代別に調べた調査もあります。その結果は、年齢がいけばいくほど信頼度が高くなるというものでした。七〇歳以上の高齢者の信頼度は全世代で最高です。逆に若い世代はテレビを信頼していません。そもそも一〇代二〇代はテレビそのものを視聴する習慣さえありません。テレビは今やもう高齢者に支えられているメディアともいえます。

これは選挙における投票行動を見ても分かります。高齢者の多くは左翼的な政党に票を投じ、若い世代ほど保守的な政党に票を投じる傾向が顕著です。現代の日本の選挙は「イデオロギーの戦い」というよりも「世代の戦い」ともいえます。これはテレビが左翼政党を賛美するという理由が大きいからです（もちろん他にも理由はありますが、それを論じると紙面が足りなくなるので、ここでは語りません）。

しかし平成の終わり頃から生まれたネット番組が、テレビの欺瞞を暴きました。それまでテレビでは聞くことができなかった発言がネット番組で聞けるようになったからです。また、それまでテレビ局が（自分たちの勝手な判断で）出演させなかった論客たちが、ネットで発信できるようになったからです。

「あさ8」は、政治系およびニュース系のネット番組のなかで最も多くの視聴者を獲得している番組の一つとなっています。タブーに斬り込み、一切の忖度なしに発言するという姿勢が多くの人から支持された結果と思っています。お陰さまで、平均して毎回三〇万人以上の皆様にご覧いただいています。

ただ、この数字ははっきりいってテレビの視聴者数とは比べものになりません。現時点では、「あさ8」は巨象に挑むアリのようなものかもしれません。しかし「継続は力」です。毎日、真実のニュースを発信し続けていれば、いつかは巨象をも倒せる日が来るかもしれません。

その日まで、テレビでは放送禁止の内容を発信し続けます。

令和六年七月

百田尚樹

放送禁止。「あさ8」で知るニュースの真相◉目次

第三章　自民党のどす黒い正体

第四章　裏金・中国・パチンコ汚染

第五章 政治不信を招いた「犯人」

第六章　財務省と経団連の罠

第一章　亡国の再エネ利権

日本でやりたい放題の上海電力

有本　日本には既に、中国の事実上の国営企業である「上海電力」の発電施設が何カ所もあります。これ自体大変な問題です。私たちの命に直結する電力の供給を「敵国」に容易に委《ゆだ》ねているわけですから。その上海電力の日本第一号施設となったのが、百田さんの故郷、大阪市の咲洲《さきしま》です。

市有地が貸与され開業に至ったケースですが、これを許した当時の橋下（徹）市政に大いに問題ありだったと私は見ています。その後、上海電力は全国でやりたい放題です。

その一例が、二〇二三年一月一二日の「あさ8」で詳しく取り上げた、山口県岩国市に建設中だったメガソーラーです。これに対して地元政界からの反対の声はほとんどなかったのですが、ただ一人、反対の声を上げ続けたのが無所属の市議、石本崇《たかし》さんでした。その石本さんが、草創期の「あさ8」に出演し、問題を詳しく語ってくださったのですが、そのとき次のように訴えていました。

「この件への反対の声といっても、環境問題の見地から問題視する市議が少しいるくらいで、上海電力が運営していることを危惧《きぐ》した市議は私だけです。実に嘆《なげ》かわしいです」

中国企業が日本で発電所を運営する危険性に警鐘《けいしょう》を鳴らした地元議員はほぼ石本さん一人。これが我が国の現状ですよ。地元メディアも見て見ぬふりをしていました。

百田　国の根幹ともいえるエネルギー政策に対する、あまりの無責任ぶりに愕然《がくぜん》とします。岩国市の上海電力メガソーラーは、ゴルフ場があった山の上に作られたんでしょう。そんなところが「適地」だとどうして考えたのか。建設許可はどうなっているのでしょうか？

有本　石本さんが最初に「あさ8」にご出演くださった三カ月後、私も岩国を訪れて取材しましたので、建設の経緯も含めて少し詳しくご説明します。

私が最初に目にして衝撃を受けたのは、メガソーラーの麓《ふもと》にある田んぼの「跡」です。水が干上《ひあ》がって黒くなった「跡」。メガソーラー建設前は、山から綺麗な水が沢を通じて流れてきていて、麓の農家はその水を米づくりに用いていた。ところが、メガソーラー設置によって水がこなくなり、田んぼが干上がったと。

石本さんはこう説明しました。

「メガソーラーの面積は約一一〇ヘクタール。ディズニーランドとディズニーシーを合わせたよりも少し広いくらいです。河川の水量も減りました。麓の辺りには上水道が通っていないので、田の水だけでなく、井戸水を活用している家庭にも影響が出ています」

石本さんはこうした環境悪化面に加えて、このメガソーラーが上海電力によって運営されることを問題にしましたが、その参入スキームがまたいかがわしいのです。

当初は上海電力が他社と合同会社を作って運営するという話だったのが、いつの間にか、単体で運営することになっていた。どこかで聞いた話と似ていませんか。

百田　大阪の咲洲の件ですね。あれは当初、上海電力は姿を隠して、日本の中小企業が合同会社をつくり、開業直前になって上海電力が株を買い取って表に出てきたというやり方だったけれど。十年たったいまでは、上海電力は姿を隠す必要すらなくなったというわけか。

有本　そうですね。いまや大手《おおで》を振っているどころか、「上海電力日本」は経団連加盟の企業となっていますよ。

百田　とんでもない話やね。アメリカはファーウェイなど中国のテック企業を次々締め出しているのに。

岩国メガソーラーと派閥パーティーの関係

有本　上海電力の岩国メガソーラーからはもう一つ、別の重大な問題が見て取れます。

この発電所はもともと二〇二四年六月に開業する予定でした。ところが私が二〇二三年四月に視察した時点でほぼ出来上がっており、五月末に工事は完了しました。つまり工事を一年も前倒ししたわけです。近年の日本では、資材不足などの理由で工事が遅れることは多々あっても、一年も前倒しで完成するようなことは、まず聞きません。この辺りの背景や事情を石本さんに尋ねると、こんな答えが返ってきました。

「あれだけ広い土地にメガソーラーを作る計画だったにもかかわらず、実は環境影響評価（環境アセスメント）を受けていないのです。環境影響評価とは、大規模な開発事業を実施する前に、事業者が環境への影響について調査・予測を行い、その結果を発表し、次に住民などの意見を聞いて、環境保全に配慮しなければならないという制度です。

ところが、山口県がメガソーラーについてのこの制度を条例で定める前に、上海電力は林地開発許可の申請をちゃっかり提出していました。岩国市の職員は、『これほど手際《てぎわ》良く申請が出されたことには奇異な感じを抱く』と話しています」

これだけでも、なんかニオイますよね。

百田　要するに、環境影響評価を受けたくないから、条例が成立する直前に滑り込みで林地開発許可の申請を提出したということですか。それ、山口県の関係者の誰かが関与したのでしょうか?

有本　それは分かりませんが、異常に手際よく申請が出され、しかも一年前倒しでメガソーラーを完成させるため、山口県の近隣どころか、首都圏のナンバープレートを付けた工事車両まで集めて、超突貫工事を行ったそうです。

さらに、「きちんと確認と検査を受けて問題がなければ売電を開始する」というのが普通のことなのですが、実際は検査をする前に勝手に売電を始めていた。

石本さんは苦笑いしっぱなしで、こう話していました。

「二〇二三年六月一四日に、市による林地開発許可の最終的な確認検査が予定されていたのですが、なんと六月五日に売電が始まりました。事前に何の報告もなく、気がついたら始まっていたのです。検査をする前に勝手に売電を始めるなど、とんでもない話ですが、法的には問題がないのだそうです」

百田　考えられない間抜けさやね。

有本　上海電力はすべて知っていたのでしょうね。日本の法律、条例のどこに穴があるかを熟知していて、ニコニコしながらその穴を突いてくる。中国的なやり方の典型です。心のなかで「間抜けな日本人め」と嘲笑《あざわら》っていることでしょう。

もう一つ、多くの人が懸念しているのは、岩国メガソーラーが岩国基地から飛び立つ航空機の航路の真下にある点です。安全保障の観点からいっても非常に危険です。

百田　どうしようもない状況に愕然とします。それでも日本政府や自民党の有力議員もメンバーとなっている「再エネ議連」の議員たちは「もっともっと再エネを」と言っている。

ところで、岩国からは遠いけれど、宮城県議会が再生可能エネルギー事業者に課税する条例を可決しましたね。「産経新聞」がこう報じています。

〈宮城県議会は（二〇二三年七月）四日、森林を開発する再生可能エネルギー事業者に課税する「再生可能エネルギー地域共生促進税条例」を全会一致で可決した。同種の新税は全国初で、再エネ事業を平地などの促進地域へ誘導し、自然保護を図る。総務相の同意を経たうえで、来年四月までの導入を目指す。再エネの必要性は昨今高まっているものの、地域との軋轢《あつれき》や環境への影響が各地で問題になっている。村井嘉浩《よしひろ》知事は「税収を目的としない新税」で〝乱開発〟に待ったをかける〉（二〇二三年七月四日付）

これで少しは改善しそうだと言えるのかどうか。

有本　岩国の例に顕著なように、全国でメガソーラーや風力発電への地元住民の反対の声を無視するかたちで山を切り拓《ひら》き、森林を伐採して、強引に太陽光発電施設が建設されています。そんな中、宮城県がこれを抑制するための新たな課税を決めたことは一縷《いちる》の希望です。ただしあくまでも条例なので、どれほどの抑止力となるかは分かりません。

百田 法律がないと駄目だと。日本の国会は何しているのか……。

有本 何もしていないからこのような惨状に陥《おちい》っています。

百田 上海電力メガソーラーが建設されたのが山口県岩国市。山口県といえばかつての長《ちょう》州《しゅう》藩ですよ。長州は幕末に、イギリス、フランス、オランダ、アメリカと戦争をして敗れたわけですが、この「下関戦争」の終戦後、講和談判を担当したのが、高杉晋作《たかすぎしんさく》です。

幕末の日本は欧米列強と比べると国力が格段に下回っていました。当時のアジアはほとんどが欧米の植民地だった時代です。そのため高杉は、強大な四カ国の要求を吞まざるを得ませんでした。ところが要求の一つであった彦島《ひこしま》の租借《そしゃく》だけは、頑として拒否した。それはなぜか。もし彦島が他国の管理下に置かれたら、外国勢力に好き放題されることを分かっていたからです。国土については譲らない。これが長州人の気概だと思っていたんですが……。

有本 石本さんと取材をしながら「高杉晋作が草葉《くさば》の陰で泣いていますよね」と何度も話しました。しかし現在の山口県は、海外企業に山野《さんや》を膨大に買われ、メガソーラーを建設され、勝手に売電までされても、皆どこ吹く風ですよ。特に安倍晋三元総理が亡くなってからのわずか一年間で、他にも中国絡《がら》みの由々《ゆゆ》しき変化がいくつも起きています。

私は二〇一〇年以前から、中国資本による土地買収などを取材し、日本はこのままでは中国に合法的に吞み込まれると警鐘を鳴らしてきました。しかし、ずっと「右翼の妄想」などと馬鹿にされ、批判を浴びてきました。

一方、アメリカは、数年前からでしょうか、中国の浸透の怖《おそ》ろしさに気づき、それを排除するための法律を矢継ぎ早に整備しています。日本はアメリカよりも早くから深刻な状況に陥っているのに、政府は有効な手をまったく打っていない。国会議員の大半が中国の脅威に無自覚で、それどころか、中国に取り込まれている人までいるという惨状です。

百田　それは、宏池会《こうちかい》のパーティー券問題にも垣間見《かいまみ》られますね。詳しくは第四章で話しますが裏金問題に事寄せて辞任しましたが、岸田文雄首相は宏池会の会長でした。その会長の下《もと》で行われた派閥のパーティー券を、中国系の企業や人物が大量に買っていると指摘されていますね。

自民党が中国に甘いのは、このような事情もあるのではないかと勘繰《かんぐ》りたくなります。であれば、その地位に鑑《かんが》みて、岸田氏こそ唾棄《だき》すべき政治家の筆頭ということになる。

政界ネットワークの闇

有本　私たちが「あさ8」で再エネは問題ありだ、と伝え続けていた中、ついに二〇二三年九月、再エネ利権の問題の一端が明るみに出ました。自民党の秋本真利《まさとし》衆議院議員が、受託収賄《じゅたくしゅうわい》の容疑で逮捕されたのです。時事通信がこう報じています。

〈洋上風力発電事業を巡り、風力発電会社「日本風力開発」（東京）の前社長から総額約六〇〇〇万円の賄賂《わいろ》を受け取ったとして、東京地検特捜部は（二〇二三年九月）七日、受託収賄容疑で、衆院議員の秋本真利容疑者（四八）＝自民党を離党＝を逮捕した〉

〈逮捕容疑は一九年二月～二二年二月ごろ、（日本風力開発の）塚脇《つかわき》（正幸《まさゆき》）前社長から複数回にわたって同社に有利な国会質問をするよう依頼を受け、一九年三月～今年六月ごろ、謝礼などの趣旨と知りながら総額約六〇〇〇万円の賄賂を受け取った疑い〉

〈関係者によると、約六〇〇〇万円のうち三〇〇〇万円は、日本中央競馬会（ＪＲＡ）の個人馬主に登録するに当たり、継続的な保有資産が七五〇〇万円以上という要件をクリアするため、一九年三月に衆院第一議員会館の事務所で塚脇前社長から無利子無担保で借り入れた〉（二〇二三年九月七日付）

日本風力発電の前社長、塚脇氏が、秋本氏に賄賂を贈ったことを認めたのです。塚脇氏については贈賄《ぞうわい》容疑で在宅のまま捜査を受け、一方の秋本氏は逮捕されました。

秋本氏の事件を、東京都荒川区の小坂英二区議会議員（日本保守党）はこう評しています。

「秋本氏は政治家としての資質が著《いちじる》しく低い。だからこそ、このような事件が起きたのだと思います。しかし事件の背景には、太陽光発電や風力発電などの自然エネルギーは、何でもかんでも善とする誤った認識があると思います。

一方で、石炭や石油、また火力発電や原子力発電は、環境に悪いとされ、近年は政府も自治体も社会全体も、そのように考える風潮がある。これは問題だと思います」

百田　正鵠《せいこく》を射《い》ていますね。もっとドギツく言えば、これは、再エネという欺瞞《ぎまん》が生んだ新たな利権漁《あさ》りの犯罪です。環境問題に付け入るかたちで大きな利権が生まれ、そこへ怪しい連中が群がってきて金を吸い上げる。秋本氏はそのサークルのなかの一人に過ぎない。

有本　ですから秋本氏の逮捕だけで十分だとは思いません。巨大な利権構造、再エネの政界ネットワークに深くメスが入れられ、全容が明らかにされなければ意味がない。東京地検特捜部には徹底した捜査と事件の解明を期待します。

風力発電入札ルール変更の怪

百田　秋本真利氏は河野太郎デジタル相の「右腕」と称されていました。秋本氏の著書『自民党発！「原発のない国へ」宣言 2050年カーボンニュートラル実現に向けて』の推薦帯は河野氏で「俺よりすごい、自民党一の『脱原発』男だ」と秋本氏を絶賛しています。

そもそも自民党では、二〇一六年三月に、再エネ議連（再生可能エネルギー普及拡大議員連盟／会長は柴山昌彦・元文部科学相）が立ち上げられて、約一〇〇人の議員が所属しているといわれてますね。所属議員の名簿は非公開らしいが、その議連の事務局長を、逮捕された秋本氏が務めていた。この秋本という男はそれまでよく「カネがないカネがない」と口にしていたのが、事務局長に就任した途端、金回りが良くなったと（笑）。週刊誌情報ですが。

有本　はい。あくまでも週刊誌報道ですが、高級車を購入し、シャネルの時計を身に着けるようになったそうですね。しかし、いやしくも国会議員が、利権を貪《むさぼ》って手に入れた物がシャネルの時計とか高級車だとしたら、なんと薄っぺらい。情けない話です。

その秋本氏が、日本風力開発から頼まれて、二〇二二年二月一七日の衆議院予算委員会で、入札ルールの変更を迫るわけですが、次のような発言内容です。

「洋上風力の入札が昨年末に開札されまして、結果が出ました。そのことについて、いろいろと大臣と議論をしていきたいというふうに思っています。

結論ですけれども、結論は、私、この質問を通じて、大臣にぜひ問題をご理解いただいて、二回目の、もういま公示している二回目の公募から評価の仕方というのをちょっと見直していただきたいというのが私の中での結論でございまして（略）」

二〇二一年に洋上風力発電の事業者を選定する入札が行われ、三菱商事を中心とした企業連合が革命的に安い価格で受注しました。これは企業努力の結果なんですが、もう、どの企業も三菱商事に敵《かな》わない。今後は三菱商事の総取りになるだろうと思われた。だからこそ、日本風力開発は秋本氏に働きかけた。そうして国会質問で入札のルール変更を促《うなが》すよう仕向けたのです。その結果、思惑どおりにルールは変更されました……。

百田　二〇二三年九月九日、時事通信は、次のように報じていますね。

〈塚脇前社長は一九年二月下旬、複数の同社幹部に、青森県の陸奥《むっ》湾の海域に関して秋本容疑者に国会質問するよう依頼したとするメールを送っていたという。

日本風力開発は陸奥湾での事業参入を目指し、一六年以降、地質などの調査や住民向け

説明会などを行っていた〉

また、この依頼をした直後に秋本氏が国会で質問すると、塚脇前社長は、「お願いどおりに国会質問してくれた」と、社内メールを送っています。

東京地検特捜部は、一連のメールを押収しました。単純な収賄罪よりも重い罪になる受託収賄罪の成立には、贈賄側からの明確な依頼、請託《せいたく》が必要になりますからね。このときは塚本前社長のメールを重要な証拠と判断して、同罪を適用したのだと思います。

有本　では、具体的にどのようにルールが変わったのかというと、入札の際に価格が重視されなくなったのです。信じられます？　入札とは本来価格を競うものなのに、それが二の次三の次に置かれたんです。そして、価格以外の面、たとえば早期稼働が可能かどうかが重視されるようになったのです。この詳細は後述します。

価格が優先されないとなると、入札時に高い価格設定をした企業が受注することもあり得ます。そうなると、私たち消費者は当然不利益を被《こうむ》ります。電気代が上がりますからね。

要するに、日本風力開発は、三菱商事グループとの価格競争では勝てないので、秋本氏を利用してルール変更をさせたのです。

しかし、ここで一つ疑問が生じます。果たして秋本氏一人の力、この国会質問一つでルールを変更することができたのかという重大な疑問です。

事実上のドンは河野太郎氏

百田　国会質問での秋本氏の主張に呼応して、政府に働きかけ、ルール変更を強力に進めた人物がいるかもしれない。その人物も特定しなければ事件の全容解明には至りません。

再エネ議連の会長の柴山氏は、秋本氏逮捕の直後、X（旧ツイッター）にこう投稿しています。

〈自民党再エネ議連事務局長だった秋本議員が逮捕されたことは誠に遺憾《いかん》であり、今後司法の場において事実解明がなされるよう期待する。当議連は再エネ拡大が国益に沿うとの観点で純粋に活動しており一部の者の利益を図るものではない。全ての提言などは精査されたもので問題があったと認識していない〉（二〇二三年九月八日）

これは自分たちに火の粉《こ》がかからないようにと思っての投稿でしょうが、かえってアホなことを言うてる印象を持ちますね。〈全ての提言などは精査された〉と言うなら、再エネ議連に所属する議員は皆、秋本氏の行動を承知していたということになるでしょう。

有本　そうですね。皆、一蓮托生《いちれんたくしょう》かなと思えてしまいます。

そもそも「再エネ拡大が国益に沿う」という柴山氏たちの認識が間違いなんですけどね。国民が求めるのは、安価で安定的な電気の供給です。再エネは安価ではないし、安定的でもありません。太陽光は夜間や曇天《どんてん》には発電しないんですから。子供でも分かる。

百田 電力は国力の源《みなもと》でもあります。それが不安定であれば当然、国力も低下してしまう。

有本 先ほど百田さんが言及されたように、再エネ議連の会長は柴山氏が務めていますが、同議連の事実上のドンは河野太郎氏。秋本氏を政界に引っ張ってきたのも河野氏です。その関係を示す〝証拠〟を誰もが公開されているところで見られます。

二〇二一年三月一八日、秋本氏が、自身のXで次のように投稿しています。

〈早期稼働にインセンティブを！といい続けてきた洋上風力発電の入札ルール。価格同様に早期稼働にもウェイトを置く形に見直される事が本日エネ庁から発表された。これに伴い、公募中の第二ラウンドは延期に。但《ただ》し、運転開始が早くなる事で結果的に時間軸は前倒しになるだろう〉

要するに、「価格だけじゃないぞ。迅速性も入札時の採点の対象にすべきだ」と訴え、ルールを変えさせたぞ、と自身の業績を誇示《こじ》しているのです。

このポストに対して河野氏が同じくXでこう反応しています。

〈秋本真利代議士や柴山昌彦代議士のファインプレー〉

秋本氏を褒めているんですね。すると柴山氏が〈ご支援ありがとうございます！〉と投稿したのです。

この一連のSNSでのやり取りを見ただけでも、ルール変更の仕事が秋本氏一人で為《な》したものでないことは明らかではないでしょうか。河野、柴山両氏らのような有力者の働きかけなしにできたはずがないと私は考えています。

百田　秋本氏は単にルール変更を求める国会質問をしただけなのでしょう。それに対して、「ええこと言うやないか、その通りにやったらええ」と判断した連中がいるはずだということですね。これは証拠はありませんが、秋本氏は使われただけのような気がします。つまり「お前は国会でこの質問をしろ。その質問さえすれば、後は俺たちが上手くやるから」と言った連中が存在する。そう考えるのが自然ではないか。

有本　秋本氏はいわば切り込み隊長のようなものであり、もともと再エネ議連全体でルール変更を目論《もくろ》んでいたのではないかと、私は睨《にら》んでいます。二〇二二年三月二一日には「日本経済新聞 政治・外交」というXアカウントが、以下のように投稿しています。

〈「再生可能エネルギー最優先の推進役として活動する」。#自民党の#再生エネ普及拡大議連が一月下旬に開いた会合。#柴山昌彦会長が宣言した。会長代理に就任したのは#小泉進次郎前環境相。顧問は#河野太郎前規制改革相〉

すると柴山氏は〈今日の電力需給状況を見ても加速が必要〉とリポストしています。しかし電力需給の逼迫《ひっぱく》状況は、再エネを推進すればするほど悪化しています。

百田　太陽光発電などは気象条件に大きく左右されるので、どうしても電気の供給が不安定になりますからね。

有本　にもかかわらず、あたかも国民を騙《だま》すかのように、「電力が足りないからもっと再エネを推進すべきだ」といった趣旨の主張をする柴山氏。この人は安倍元総理に近く、私も少しは交流がありましたが、このポストを見て、私は柴山氏を信用できなくなりました。

一方の河野氏は、二〇二二年六月二三日に、Xに以下のような投稿をしています。

〈萩生田《はぎうだ》大臣の問題意識である洋上風力の黎明期《れいめいき》である今は、価格も大事だがさまざまなプレーヤーにチャンスを与え、力を試させるということに触れているかどうか。今、独占が起きて、他のプレーヤーが消えていけば、長期的に国民が、日本が大損することになる〉

洋上風力発電の入札ルールが変更された当時、経済産業大臣を務めていたのは萩生田光一氏でした。つまり河野氏は、再エネ議連だけが入札ルールの変更を求めたわけではなく、萩生田氏も同じ問題意識を持っていたと訴えているわけです。

百田　〈さまざまなプレーヤーにチャンスを与え、力を試させる〉というのは、名前こそ挙げていませんが、日本風力開発にチャンスを与えるということだと捉《とら》えるのが自然です。

有本　河野氏や柴山氏のXでの一連のやり取りを見れば、容易に想像が付くことですね。

百田　河野氏や柴山氏が、万が一、日本風力開発のために便宜を図っていたなら、そうまでして何がしたいのか。カネか、それとも日本を弱くしたいのかと呆《あき》れます。

安全保障上も重大な懸念、風力発電の大問題

有本　ここで私が二〇二二年夏に取材した北海道当別町《とうべつちょう》の風力発電の件をお話しします。この風力発電所はまだ開業していませんが、住民はもちろん、町議会が二度にわたって全会一致で「風力発電所開設反対」を決議しているのに、建設中止にはなりません。道も国も知らん顔です。町長がわざわざ上京して、自民党本部にも陳情したのに梨《なし》の礫《つぶて》だとのことです。

当別町などの方々が、風力発電に反対している理由はいくつもあります。

第一に、巨大な風車が立つことで景観が損なわれます。第二に、風車の発する低周波音

が人体に悪影響を及ぼすといわれていることです。主な人体への悪影響として、血圧や心拍数の変化、集中力の欠如、めまい、倦怠感《けんたいかん》、睡眠障害などです。第三に巨大風車は倒壊の恐れがあります。

これら風車の悪影響に加えて、第三の理由が当別町で最も深刻な問題として捉えられているのですが、日本の安全保障に深刻な悪影響を与えかねないという点です。

当別町は自衛隊の「レーダーサイト」のある町なのです。北の守りの要《かなめ》ですよ。

数年前、そのレーダーサイトからわずか三キロほどのところにある山林が大規模に買収されました。買ったのは中国の息のかかった資本。そう、裏にいたのはあの上海電力です。巨大風車の出す低周波が自衛隊のレーダーサイトを攪乱《かくらん》する恐れがある。そんな発電所建設をなぜ国が止めないのか、と当別町の皆さんは怒っておられました。

国防に直結するこんな風力発電にも国会議員は素知《そし》らぬ顔ですよ。

百田　再エネ議連の議員たちも、風力発電のこうしたリスクを当然知っているはずです。もし彼らが、風力発電は危なくない、最高の発電システムだと言うのなら、河野太郎氏の地元の神奈川県平塚市か、柴山昌彦氏の地元、埼玉県所沢市あたりに陸上風車を誘致したらいいんですよ。もしも住民に健康被害が出れば、河野氏も柴山氏も、次の選挙で落選するかもしれない。でも、彼らは自分の地元にはけっして風車を誘致しないでしょう。風力発電にリスクがあると分かっているからです。

風力発電だけでなく太陽光発電施設が全国各地で地元住民が反対しているにもかかわらず、「政治主導」によって設置されるケースが目立ちますよね。

たとえば、奈良県では二〇二三年に就任した山下真知事《まこと》（日本維新の会）が進める五條《ごじょう》市の大規模太陽光発電施設（メガソーラー）整備計画。これに地元住民が「災害で破損して有害物質が流出したら、田畑に被害が出る」など猛反対の声を上げています。次々と森林を伐採して大量の太陽光パネルを敷き詰めるので、深刻な環境破壊にも繋がる。

しかも前知事時代に当該のゴルフ場跡地は「大規模広域防災拠点を整備する」とのことで地元住民とも合意ができていたにもかかわらず、新知事となった山下氏の鶴の一言でメガソーラー計画に変更。そのことは地元住民には事前の説明などなく、突然公表されたというのですから、実に酷《ひど》い話だと思います。

再エネのどこがエコなのか？

有本　ここまでは自民党の再エネ族議員の話でしたが、奈良県五條市のケースは、維新の首長による再エネ・ゴリ押し問題ですね。これに自民党が反対している。

維新といえば、上海電力が日本での再エネ事業進出の足がかりを築いたときの大阪（元）市長、ご存じ橋下徹氏が代表だった会派ですからね。再エネ派が多いのでしょう。

もちろん全国には、住民と一緒に反対している議員も一部いますが、おおむね党利党略の面が強く、地元の大物議員など大半の議員は、ほとんど声を上げません。こうした状況を見ると、再エネが利権の温床になっているとしか思えません。秋本氏以外にも、賄賂を受け取っている議員が相当数いるのではないか、そう疑いたくもなります。

百田　再エネが「儲け口」になったきっかけの一つは、二〇一一年三月一一日の東日本大震災直後の福島第一原発の事故でした。事故後、日本中で原発アレルギーがものすごい勢いで広がった。その流れのなかで、再エネ、とりわけ太陽光を善とする風潮が蔓延《まんえん》し、太陽光発電が儲かる世の中になったのです。

儲かるとなれば様々な企業が参入してきます。それと同時に、太陽光発電は利権の温床となった。そしてそれに国会議員が群がる。秋本氏のような売国議員が現れるのも当然といえます。

有本　日本政府は、脱炭素、カーボンニュートラル、グリーンエネルギー推進を大きく掲げてきました。そんな日本の太陽光による発電量は、二〇二〇年の時点で世界第三位。日本の国土の七〇パーセントは山地なので、適地とはいえない場所にも太陽光発電所をどんどん作っているのが現状です。

山口県岩国市にある上海電力のメガソーラーは、小高い山の頂上の木を伐採して、斜面に太陽光パネルを敷き詰めましたが、こんなものがエコではないことは子供でも分かります。

「中国製パネル」という国会のタブー

百田　再エネ推進派が掲げる「脱炭素社会」なる大義も実にいかがわしいですね。

有本　いま世界で最も温室効果ガスを排出しているのは中国です。その量は世界全体の三分の一をも占めています。ところが、後ほど詳しく述べますが、その中国から大量の太陽光パネルを輸入しているのが日本なのです。洋上風力発電に必要となる機材も、中国から輸入しようとしています。

脱炭素を掲げながら、世界最大の炭素社会である中国の作る機材を大量に輸入し、自国民には金銭的負担を強《し》い、かつ電気供給を不安定化させる。出鱈目《でたらめ》にも程がありますよ。

　柴山氏のような弁護士で文科大臣まで務めた人が、この出鱈目に気づかないはずがない。それでも再エネ推進というのは、やはり利権かと勘繰らざるを得ないのです。

　一方でアメリカはどうか。ロイター通信（二〇二三年八月一七日）によりますと、〈米国で二〇二二年、中国新疆《しんきょう》ウイグル自治区における強制労働にかかわる製品の輸入を禁止する目的で成立した「ウイグル強制労働防止法」の対象品目に自動車部品が加わっていることが、ロイターが確認した政府当局の文書やデータ、関係者の話などから明らかになった〉ということです。

　アメリカではウイグル強制労働防止法により、太陽光パネル、トマト、綿製品などが規制対象になっています。記事によると、新たに〈電気自動車（ＥＶ）向けリチウムイオン電池、タイヤ、自動車部品用のアルミニウムや鋼材なども税関・国境警備局（ＣＢＰ）によって厳重な検査が実施されている〉とのことです。

百田　ここではアメリカで規制対象になっている太陽光パネルにテーマを絞って語りたいのですが、日本ではいまだに安価な中国メーカーの太陽光パネルを輸入しています。

有本　山口県岩国市に建設された上海電力岩国メガソーラーでも、中国製のパネルが使用されています。上海電力日本の運営なので、当然といえば当然ですが。

また、岡山県美作市《みまさか》に設置されたパシフィコ・エナジー作東《さくとう》メガソーラー発電所では、東京ドーム八七個分にも相当する四一〇ヘクタールの土地に、七五万枚もの太陽光パネルを敷き詰めています。使われたのは、すべて中国メーカー、トリナ・ソーラーのパネルです。

加えて岡山県瀬戸内市《せとうち》の瀬戸内Ｋｉｒｅｉ太陽光発電所では、東京ドーム六〇個分にも相当する二六〇ヘクタールの土地に、九〇万枚もの太陽光パネルを設置しています。やはり、そのすべてのパネルが中国のトリナ・ソーラーとインリー・グリーンエナジー製です。

日本の国会議員は、なぜトリナ・ソーラーを問題にしないのでしょうか？　トリナ・ソーラーのパネルには、ウイグルで作られたポリシリコンという素材が使われています。国会議員がこれを問題にしない理由の一つは、再エネ議連というウルサイ一団が目を光らせていて、それに触れることが半ばタブーのようにされているからかもしれません。

百田　メガソーラーが設置された岡山県は、加藤勝信《かつのぶ》元官房長官や、山下貴司元法務大臣らといった有力な代議士の地元でしょう。また、保守派に人気の小野田紀美《おのだきみ》参議院議員も岡山選挙区ですよね。彼、彼女らにはぜひとも、県内に設置された巨大なメガソーラーを問題視してもらいたいものです。

有本　残念ながらその気配は今のところ見られませんが、むしろここで、たとえば加藤勝信氏が「メガソーラー止めろ。ウイグル強制労働疑惑のパネルなんてけしからん」とぶちあげたら、一気に人気が上がって自民党総裁になるかもしれませんけどね(笑)。敵を作らないことが身上の人だからありえないか。

　経済安全保障アナリストの平井宏治さんが「あさ8」で紹介してくださいましたが、青森市新城山田《しんじょうやまだ》地区のメガソーラーは、火山灰の上に建設され、二〇二二年八月に大雨が降って地崩れが起きたそうです。泥水と一緒に太陽光パネルも流れてしまった……どう考えても、メガソーラーを建設するのに適した場所だとは思えません。にもかかわらず、再び同じ場所にパネルを敷き詰めている。クレイジーですよ。

百田　再エネで儲けているのは秋本氏だけではなく、工事を請け負《う》う建設業者も荒稼ぎしているようですね。その点でも平井さんは、「あさ8」で次のように興味深い話をしてくださいました。

「メガソーラーを建設するに当たって、各自治体は住民説明会を開催します。ところがその内容は、『住民説得会』になっているケースが大半です。

というのも、建設が中止になると、地元の建設業者に仕事が入ってきません。また、金融機関の融資も受けられなくなります。加えて、国からの補助金も受け取れません。だから再エネ利権者からすると、建設中止という選択肢は存在しないのです」

有本　国からの予算を止めなければ、こうした流れは止められないでしょう。

地方紙の「福島民友」によると、〈福島市は（二〇二三年八月）三一日、防災や景観保護の観点から、山地への大規模太陽光発電施設（メガソーラー）の設置を「これ以上望まない」とする「ノーモア　メガソーラー宣言～地域共生型の再エネ推進の決意を込めて～」を取りまとめて公表し〉（二〇二三年八月三一日付）ました。宣言の内容は以下の通りです。

〈福島市は、災害の発生が危惧され、誇りである景観が損なわれるような山地への大規模太陽光発電施設の設置をこれ以上望まないことをここに宣言します。設置計画には、市民と連携し、実現しないよう強く働きかけていきます〉

これは良い動きだと思います。しかし、県内の他の自治体は、これに同調しているわけではありません。

百田　再エネの施設と利権がいかに危険かということを、もっともっと世の中に広めていかなければなりませんね。

日本の山が消滅する

有本　こうした中、環境省がメガソーラーの設置に対し、規制を強化する動きを見せています。共同通信は以下のように報じています。

〈環境省は（二〇二三年六月）一六日、世界最大級のカルデラや広大な草原を有する「阿蘇《あそ》くじゅう国立公園」（熊本、大分）に関して、二四年度末までに公園区域の拡張や一部エリアの規制強化を図る方針を明らかにした。周辺で大規模太陽光発電所（メガソーラー）の設置が相次いでいることを受け、景観悪化が一層深刻化しないよう、規制強化にかじを切る。

同省阿蘇くじゅう国立公園管理事務所によると、約七万三〇〇〇ヘクタールある園内の約半分を占め規制が緩い「普通地域」の一部を、規制が強い「特別地域」に格上げする。

特別地域内に建物などを新設する場合、国の許可を受ける必要がある。景観に影響する太陽光発電所設置は厳しく制限される〉（二〇二三年六月一六日付）

百田　阿蘇の広大な山並みに、太陽光パネルが何万枚も敷き詰められている痛ましい写真をネットで見ました。

日本の国土の約七割は山です。平地には人が住んでいるし、農地としても活用していま す。だからメガソーラーを設置しようとしたら、山を次々に切り崩すしかありません。

有本　メガソーラーや風車を設置しても、ほとんど発電されないというケースも増えてい ます。適地に建設しなかったのが主な原因ですが、一年のうち半年以上も発電されないメ ガソーラーもあれば、風車がほとんど回っていない風力発電所もあります。

さらに、大雪や台風で故障しても修繕する予算がなく、そのまま放置されている施設も 多々あります。

平井さんは、そうしたケースに対する方策として、次のようなことを述べておられます。

「こうした問題を解決するには、やはり原発を再稼働させるしかないと思います。FIT 価格（再生可能エネルギーの固定価格買取制度）は下落しているものの、再エネ発電施設の 建設の勢いは止まりません。住民の同意がなければ建設できなくする条例を、各自治体が 整備する必要もあります」

百田　この第一章の内容だけで日本の政治がいかに腐敗しきっているかがお分かりいただ けたと思います。そして、こうした内容は地上波では絶対に詳しく報じられません。メディアも腐りきっています。これ以降も読み進めるうちに暗澹《あんたん》たる思いに駆られることが多々あるかもしれません。ですが、読者の皆さん、どうか最後までお読みいただき共に考えましょう！

第二章　悪夢が現実になる

昭恵夫人の安倍元総理への最後の願い

百田　ＬＧＢＴ理解増進法（性的指向及びジェンダーアイデンティティの多様性に関する国民の理解の増進に関する法律。以下、ＬＧＢＴ法）は二〇二三年六月一六日に参議院で可決、成立、同月二三日に施行されました。この法律を無理やり成立させた自民党、そして推進派の議員に対して言いたいことは山ほどありますが、まずはこの法律の危険性から語りたいと思います。

有本　ＬＧＢＴ法第三条では、以下のように謳《うた》っていますね。

〈性的指向及びジェンダーアイデンティティを理由とする不当な差別はあってはならないものであるとの認識の下《もと》に、相互に人格と個性を尊重し合いながら共生する社会の実現に資することを旨《むね》として行われなければならない〉

ここで思い出してもらいたいのが日本国憲法です。第一四条で〈すべて国民は、法の下に平等であって、人種、信条、性別、社会的身分又は門地《もんち》により、政治的、経済的又は社会的関係において、差別されない〉と、あらゆる差別を明確に禁止しています。だから、わざわざ〈性的指向及びジェンダーアイデンティティ〉を対象に〈不当な差別はあってはならない〉とする法律など作る必要はないはずです。

百田　それに加えて日本社会は、同性愛者やトランスジェンダーに対して、ずっと寛容でしたからね。

ＬＧＢＴ法の成立から約一カ月後の二〇二三年七月八日に、安倍晋三元総理の一周忌を迎えました。当日は都内で、「世界に咲き誇れ日本　安倍晋三元総理の志《こころざし》を継承する集い」が催されました。このとき安倍昭恵夫人が壇上でスピーチを行い、ＬＧＢＴ法に関する安倍氏のエピソードを披露された。そのくだりはこうです。

「最後に私が主人に頼んだのがＬＧＢＴの友人に会ってほしいということでした。（ＬＧＢＴ）法案のことで、たくさんのＬＧＢＴの友人からは、いろいろと批判の声がありました。主人にそれを伝え、直接、話を聞いてもらえないかと言ったところ、主人はいいよと言って一緒に食事をしてくれました。食事をしながら、飲みながら、彼らの話を熱心に聞いて、一つひとつの課題に対して、法律にしなくても、これはこういう解決方法があるのだ、日本は昔から差別をするような国ではないのだと、議論を重ねるうち、彼らはたいへん喜んで納得していました」

昭恵夫人のお話しのなかで、安倍元総理がおっしゃったとおり、日本人には、性的少数者を差別する気持ちなどありません。

有本　昭恵さんのそのお友達には私もお目にかかりました。ＬＧＢＴ運動の中心にいる方ですが、安倍元総理に敬意を抱いておられ、元総理との議論は重く受け止めていました。

キリスト教圏やイスラム教圏の国々のように、同性愛者を迫害してきた歴史は日本にはないということは、私もその方に力説しました。一八七二（明治五）年に西洋に倣《なら》って男性同士の鶏姦《けいかん》（肛門性交）を禁止にしたことがありますが、これも一〇年足らずで撤廃しています。

それにＬＧＢＴを保護するなら、ありとあらゆる属性・特徴の人を保護する個別の法律をいちいち作らなければならなくなります。

百田　ＬＧＢＴを保護するなら、私のようなハゲも保護してもらいたいです（笑）。そうしないと、ＬＧＢＴの人たちに特権を与えることになってしまいますから。

「ジェンダーアイデンティティ」の危険性

有本　ここで簡単に経緯を振り返りますと、二〇二三年五月一八日、自民・公明両党は、両党を含む七党の超党派議員連盟が二〇二一年に合意した法案をベースに、差別に関わる表現などを修正したＬＧＢＴ理解増進法案（性的指向及び性同一性の多様性に関する国民の理解増進法案）を国会に提出しました。一方の立憲民主党、共産党、社民党は、超党派合意案と同じ内容の法案（性的指向及び性自認の多様性に関する国民の理解増進法案）を国会に提出しました。自民・公明案は、性的少数者に対して「不当な差別はあってはならない」と明記したのに対して、立憲・共産・社民案は「差別は許されない」として、より強硬な表現を使っています。

五月二六日には、日本維新の会と国民民主党も対案を提出。自民・公明案が理解増進の対象として「性同一性」という表現を用いたのに対して、維新・国民両党は、それを英訳した「ジェンダーアイデンティティ」という表現を使用しました。そして与党はこの表現を採用したのです。

同法の二条では「ジェンダーアイデンティティ」について〈自己の属する性別についての認識に関するその同一性の有無又は程度に係る意識をいう〉と定義しています。

また、維新・国民案に盛り込まれていた〈全ての国民が安心して生活することができることとなるよう、留意するものとする〉という一文も採用し、一二条に追加しました。

百田　詳細は後述しますが、自民党が性的指向・性自認に関する特命委員会を設置したのは二〇一六年です。同委員会を率いた古屋圭司衆議院議員は、G7広島サミットの席で

〈「日本は先駆けて今般このような法案を取り纏《まと》めた。文句あるか！」と堂々と主張してほしい〉などと自身のブログ（二〇二三年五月一六日）で書いていました。よほど自信のある法案だったわけでしょう？

ある保守系の YouTube 番組に登場したときなど、「我々はこの法案に七年もかけたのだ」などと偉そうに吠《ほ》えていたにもかかわらず、自民党は国対委員長会談で維新・国民案を丸呑みしました。七年もかかって作成した「素晴らしい法案」を一夜にして、「維新さん、国民さん、それええですね、それに乗っかりますわ」と反故《ほご》にした。呆《あき》れてものが言えないとはこのことです。

有本　法案の核を成すのが「ジェンダーアイデンティティ」という、多くの国民にとって意味不明な言葉です。

百田　私は六〇年以上生きてきて、この「ジェンダーアイデンティティ」という言葉を人生で一度たりとも使ったことも、聞いたこともありません。日本語で何と訳すのか、それすら誰も分からない。

ちなみに英語では、性同一性も性自認も一括《ひとくく》りにして「ジェンダーアイデンティティ」と表現しますが、日本語だと性同一性と性自認はまったく意味が異なります。

有本　二〇二一年に、ＬＧＢＴに関する法案が出されようとしたときから、反対派は、条文に「性自認」という言葉が使われることを危惧《きぐ》していました。安倍元総理もはっきりと「性自認を法律に書くのはダメだ」とおっしゃっていた。

　ちょっと考えれば分かることですが、〈性自認を理由とする不当な差別はあってはならない〉と条文に書かれたら、「私は女です」との自認を主張する男性の言い分を聞かねばならなくなり、悪用される恐れが高まるからです。そこで当初、自民・公明案では「性同一性」という文言《もんごん》を用いていました。それを「ジェンダーアイデンティティ」に変更してしまったのです。

　いま百田さんも指摘されたとおり、英語で「ジェンダーアイデンティティ」といえば、性同一性だけでなく、性自認に近いニュアンスもあります。つまり与党は「ジェンダーアイデンティティ」とカタカナにすることで煙《けむ》に巻き、当初の「性同一性」より危険な表現を採用してしまったわけです。

百田　そんな曖昧《あいまい》なものを対象に〈不当な差別はあってはならない〉と定めているんですから、同法は誰がどう考えても問題だらけです。

　さらにいえば、この法律にある〈不当な差別〉とは、具体的にどのような状況を指すのか。法律で差別を禁じるなら、何が差別であるかをきちんと定義しなくてはなりません。この点が曖昧だと、いくらでも拡大解釈ができるからです。

以前、弁護士の北村晴男先生に「差別は、法律ではどのように定義されているのですか？」と訊いたことがあります。北村先生によると、差別には「合理的な区別」と「不当な差別」があるそうです。たとえば入学試験で一〇〇点を取ったAさんは合格して、五〇点しか取れなかったBさんは不合格になったとします。これは「合理的な区別」です。

一方、「不当な差別」とは、Aさんのほうが高い点数を取ったのに、女性だからという理由で不合格になった場合を指すそうです。

この場合の「不当な差別」は分かりやすい。ところがLGBTに対する〈不当な差別〉となると、たとえば言動なども対象になるわけでしょう。すると、「〇〇と言ってはならない」ではなく、「それ、差別だよ」と言われてしまい、訴えられる可能性もあるわけです。社会が大混乱しますよ。

女子トイレも女風呂も女子更衣室も危険な場所に

有本　私たちがLGBT法に反対する大きな理由は、女子トイレや女風呂や女子更衣室など、女性専用スペースの安全を守れなくなる危険性があるからです。

百田　女性の裸を見たいと考える男性が、LGBT法を悪用します。「私は女」と主張し、「トランス女性」を装って、男性器のあるおっさんが堂々と女風呂に入ってくる事件が頻発するでしょう。後述するように、すでにそのような事件が起きています。

これまでだったら、もし自称「トランス女性」のおっさんが女風呂に入ってきたら、追い出すこともできたし、警察に通報することもできました。ところがLGBT法が施行され、〈ジェンダーアイデンティティを理由とする不当な差別はあってはならない〉と定められた今、「ここは女風呂だから出て行け！」と言ったらどうなるでしょうか？「差別だ」と言って反論してくるかもしれないし、最悪の場合には訴えてくるかもしれません。

有本　自称「トランス女性」が「私は女」と言っても、それが事実かどうか判別できません。だから問題なのです。

LGBT法推進派の一人である稲田朋美衆議院議員は、二〇二三年六月一二日に自らのXで、次のようにポストしています。

〈LGBT理解増進法は犯罪を犯罪でなくする法律ではありません！
公衆浴場に「身体的に男の人」が「心が女だ」として入ってくるのはLGBT理解増進法

と関係なく公衆浴場における衛生等管理要領に違反し〝許されません〟〉

はたしてそうでしょうか。「公衆浴場における衛生等管理要領」は、厚生労働省生活衛生局長による各都道府県知事・各政令市市長・各特別区区長に対する通知です。あくまで公衆浴場における施設、設備、水質の衛生的管理、従業者の健康管理、その他入浴者の衛生及び風紀に必要な措置により公衆浴場における衛生等の向上及び確保を図ることを目的とした通知なのです。

百田　衛生等管理要領は二〇〇〇（平成一二）年に定められたものです。条文には〈男女を区別し、その境界には隔壁《かくへき》を設け、相互に、かつ、屋外から見通しのできない構造であること〉などと書いてあるだけで、「トランス女性」に関する規定など設けていません。

有本　さらにLGBT法推進派は、「公衆浴場法第三条もあるから大丈夫だ」などと言っています。

百田　公衆浴場法第三条には〈営業者は、公衆浴場について、換気、採光、照明、保温及び清潔その他入浴者の衛生及び風紀に必要な措置を講じなければならない〉と書いてあります。風紀を守ることを目的とした条文に過ぎず、「トランス女性が入ってくると風紀が乱れる」などと言おうものなら、たちまち「それは差別やで」と責められることになるかもしれません。
稲田氏やその他のＬＧＢＴ法推進派議員は、イマジネーション能力が完全に欠如しています。きっと若いころは学校の勉強ばかりしていて、小説を読んだり、映画やドラマを観たりする機会が少なかったのでしょう。ＬＧＢＴ法が施行されることで何が起こり得るか、まったく想像できないのだと思います。

有本　日本では、二〇〇三年に「性同一性障害者の性別の取扱いの特例に関する法律」が成立し、翌年から施行されています。この法律により、医師から性同一性障害だと診断を受けた人は、戸籍上の性別を変更できるようになりました。
しかしＬＧＢＴ法の施行により、今後は気分で性別を変えられる時代になってしまうかもしれません。

百田　「わし昨日までは男やったけど、今日からは女や」と言って、女風呂に入るわけです。そして翌日また「やっぱ、わしは男やで」と男に戻る。そんなことが許されていいわけがないのですが、おかしいと声を上げると、「それは差別や」「お前は差別主義者だ」と糾弾されてしまう。そして、「あなたはＬＧＢＴに対する理解が足りないからセミナーを受けなあかん」と諭《さと》される……。

有本　我々は性的少数者を差別するつもりは一切ありません。しかし彼らを過度に保護するあまり、性的少数者に該当しない人たちの安全を脅《おびや》かすような法律には、強く「ノー」と言わなければなりません。

女風呂侵入の男は無罪の可能性

百田　近年、LGBTなどマイノリティを過度に保護しようとする風潮が高まっており、すでに自称「トランス女性」による事件が起きています。

二〇二三年六月八日、三重県津市の公衆浴場で、女装した五四歳の男が女風呂に侵入したとして、建造物侵入の疑いで逮捕されました。湯船に浸《つ》かっていたところを別の女性客が見つけて通報。駆けつけた警察官に取り押さえられましたが、このおっさんは「私は女だ」と容疑を否認しました。LGBT法が成立する直前に起きた事件です。

LGBT法成立後の二〇二三年一一月一三日、三重県桑名《くわな》市の温泉施設の女湯に侵入したとして、愛知県春日井《かすがい》市の四三歳の男が建造物侵入の疑いで現行犯逮捕されました。男は、女風呂に入ったことを認めたうえで「心は女性なのに、なぜ女子風呂に入ってはいけないのか理解できない」と話しているとのことです。

あるいは、このようなニュースもあります。「大衆浴場の女湯に入り、面識のない女性（二〇代）の体を触る…自称無職の男（三二）を逮捕『マッサージのために女性の体を触った』と否認」（山陰放送二〇二三年一二月八日）。その中でこう報じられています。〈米子警察署は、男の心が女性であるかどうかは捜査中で、男性器がついているかは確認中としていて、詳しい事件の経緯や動機などについて調べています〉

男の心が女性であるかどうかをいったいどう調べるというのか。男が「私は女性です」と言ったら罪が帳消しになるのか。信じがたいことにＬＧＢＴ法が施行された以上は、その恐れがあるのです。

有本　過度なＬＧＢＴ保護政策を推進した欧米でも、女性を自称する男が女性スペースに侵入して、女性に性的暴行を加える事件が多発しています。

百田　二〇二三年六月二三日、厚労省は各自治体の衛生主管部長に向けて「公衆浴場や旅館業の施設の共同浴室における男女の取扱いについて」という文書をリリースしました。

文書には次の通り記されています。

〈男女とは、風紀の観点から混浴禁止を定めている趣旨から、身体的な特徴をもって判断するものであり、浴場業及び旅館業の営業者は、例えば、体は男性、心は女性の者が女湯

に入らないようにする必要があるものと考えています〉

自称「トランス女性」が女性専用スペースに入ってくるのではないかと危惧する声が溢《あふ》れていることに対して、厚労省が見解を発表したわけです。しかし、これはあくまで通達であり、法律を上回るものではありません。

またLGBT法が施行されたため、女性専用スペースに侵入した男を逮捕しにくくなりました。ひょっとしたら自称「トランス女性」かもしれず、逮捕したら「差別だ」と批判されかねませんから。

もう一つ別の理由もあります。

女風呂に入ってきたおっさんを警察官が逮捕した場合、警察は書類送検をして検察に回します。次に検察は起訴するわけですが、果たしてこのおっさんを起訴できるのか。この点についても北村晴男先生に訊いたところ、「ハードルが高い」と話していました。

日本の刑事裁判の有罪率は九九・九パーセントです。裁判で無罪判決が下ると、検察官の経歴に傷がつくため、確実に有罪にできる案件しか起訴しません。それ以外の案件は、不起訴処分や起訴猶予処分に留めるのです。先に紹介した三重県津市のケースなどでは、検察は、「女風呂に侵入した男を起訴しても、LGBT法によって無罪になる可能性が高い」と考えるはずです。

つまり世の変態にとって、自分の欲望を満たしやすい社会になったということでしょう。そして一度でも変態が不起訴処分になったら、必ず模倣犯《もほうはん》が現れます。女性や子供たちが次々と被害に遭う危険性が非常に高いのです。

もし、そのような人物が不起訴処分になった場合、今後、警察はそうした人物の逮捕をためらうことになりかねません。そうなれば、模倣犯が増加するでしょう。

すると、施設の側でそういう人物が女性スペースに侵入してくるのを阻《はば》むか排除するしかありません。しかし、ここにも厄介な問題が潜んでいます。女性スペースから排除された自称「トランス女性」が「差別された」と民事裁判で訴えてくるケースが考えられるからです。現にアメリカではそうした訴訟が起こっています。そして、LGBT法に従えば、施設側が負ける可能性は高い。そうなれば、施設側は多額の賠償金を支払うことになります。一度でもそんな判例が出てしまえば、今後、自称「トランス女性」を女性スペースから締め出す施設はなくなるでしょう。

そんな悪夢のような現実がすぐそばまできていると私は思っています。

有本　三重県津市の事件を受けて、稲田氏は自身のXに、次のようにポストしています。

〈「女風呂と男風呂は身体的特徴で区別するということであって、心が女性で体が男性の人が女湯に入ることはない」というコメントについて→当たり前ですが、「犯罪者」は想定していません〉

……申し訳ないのですが、よく意味が分かりません。

百田　おそらく稲田氏は「トランス女性を装って女風呂に入った人は別の法律で裁かれる」と言いたかったのでしょうが、北村先生は、それも難しいのではないかとの見解を示しています。LGBT法で「ジェンダーマイノリティ」に対して〈不当な差別はあってはならない〉と謳っている以上、女性スペースに侵入してきた人物が明らかに男であっても、「私は女だ」と言ったら、建造物侵入罪で取り締まるのは難しいというのです。

有本　女風呂や女子トイレに自称トランス女性が大手《おおで》を振って入ってくる時代の到来ですね。まさに悪夢です。

百田　こんな天下の悪法は絶対に成立させてはならなかったのです。しかし施行されてしまった以上、窮余《きゅうよ》の策として、せめて条文に「女性スペースには、男性の体を持つ者は入ってはならない」と但《ただ》し書きを加えるべきです。要は、男性器をぶら下げている人は、たとえ「私は女だ」と自認していても、女性スペースに入ってはならないということです。

有本　日本保守党では重点政策にLGBT法の改正を掲げています。もちろん本来なら即刻廃案にすべきですが、成立した法律をいきなり廃止するのは極めてハードルが高い。中心概念に据《す》えるジェンダーアイデンティティなる意味不明な言葉が何を指しているのかなども含め国民の議論の場に引きずり出したいと考えています。

女子スポーツ選手の命が危ない

百田　LGBT法が施行されたことによって起こり得ることとして、たとえば自称「トランス女性」の女子スポーツへの参加が増えるかもしれません。現に欧米では、「トランス女性」の選手が、体格差を活かして女性選手を圧倒するケースが散見されます。

なかでもアメリカの「トランス女性」の水泳選手、リア・トーマス氏は有名です。トーマス氏は二〇一七年からペンシルベニア大学の男子チームに所属し、水泳男子の大会でそれなりに優秀な成績を挙げていましたが、決してトップ選手ではありませんでした。そんな氏は二〇二一年に女子チームに転向すると、アメリカ国内の競泳大会三種目で優勝するなど、一気に飛躍、他を寄せ付けない圧倒的強さを誇っています。

ただ、トーマス氏は性別適合手術を受けていないそうです。つまり男性器をぶら下げながら、女子更衣室を利用しているのです。

有本　欧米ではいま「トランス女性」が女子スポーツに参加することに、疑問の声が次々と上がっています。現にトーマス氏に対しても、チームメイトが「女子更衣室を使用するのは公然わいせつ罪に当たる」と強く訴えています。

百田　プロボクシングIBF女子世界バンタム級元王者のエバニー・ブリッジス氏は、「トランス女性」の選手と戦うことに懸念を示しています。二〇二三年六月二〇日、格闘技情報サイト「eFight」は、こう報じています。

〈エバニー・ブリッジス（オーストラリア）は（二〇二三年六月）一七日、ツイッターで「トランス女性（出生時には男性と割り当てられたが、女性としての性同一性を持つトランスジェンダー）が、女性相手の格闘技に出場することには絶対に同意しない」「私の命が危険にさらされる」と、トランス女性が同じカテゴリで闘うことに、〝NO〟を表明した〉

私も「トランス女性」の女子スポーツへの参加は、女子選手を危険に晒《さら》すことになると危惧しています。水泳は泳ぎの速さを競うスポーツなので、「トランス女性」と勝負して女子選手が怪我をすることはありません。しかし、「トランス女性」が格闘技に参加したらどうなるか？　間違いなく女子選手は大怪我をします。男女の体格差は歴然としているからです。格闘技だけでなく、ラグビーやアイスホッケーなどの肉体がぶつかるようなスポーツでも同様の危険があります。

有本　国際オリンピック委員会（ＩＯＣ）では、「トランス女性」が女子スポーツに参加するケースについて、厳しいルールを設けていますね。

百田　しかし、そんな規定は欺瞞《ぎまん》です。人間は一〇代の第二次性徴期《せいちょうき》に男性なら男性ホルモンの、女性なら女性ホルモンの作用によって、男は男らしい、女は女らしい体になっていきます。この第二次性徴期を経て男らしくなった人が、「私は女だ」と言い出して、女性ホルモンを投与して男性ホルモンのテストステロン値を下げたとしても、体は男性そのものです。そんな人の女子スポーツへの参加を認めるべきではありません。

ブリッジス氏は勇気を持って、「トランス女性」と試合することに「ノー」と言いました。今後もこのような声が世界中で溢れ出てくると思います。

有本　日本ではそうした世界の動きが地上波でほとんど報じられません。

多額の公金が活動家に流れる

百田　私たちがＬＧＢＴ法に反対している大きな理由の一つに、後述する「公金チューチュースキーム」（補助金や助成金などの公金を、国や地方公共団体などから巧妙に、あるいは不正に近い方法で得る行為や仕組み、枠組み）があります。

この法律が施行されたことによって、ＬＧＢＴの理解を深めるための教材が作られたり、学校や自治体で生徒や職員を対象に講習会が行われたりするようになります。そして、そのための予算が投入されることになるのです。

今回の法律の条文には、「子供たちに理解させるようにする」といった内容の文章が三カ所も出てきます。一つの法律の条文のなかに、同じ内容の文章が三カ所も出てくるのは異様です。しかし、もしこの法律のもう一つの狙いが「公金チューチュースキーム」にあると考えれば、何ら不思議ではありません。

有本　ある中国地方の県議会議員と話をする機会があったのですが、ＬＧＢＴ法の成立を受けて「戸惑っている」と話していました。まさに教材の制作や講習会の開催を検討しなければならなくなったからです。「どうしようか……」と、頭を抱えていました。

百田　ここで問題になるのは、ＬＧＢＴに精通している保守系の人がほとんどいないことです。だから教材制作や講習会開催の際には、ＬＧＢＴに関する活動を続ける左翼団体や左翼活動家が呼ばれることになる。そして彼らに多額のお金が流れてしまう……これが

「公金チューチュースキーム」です。すなわち日本人が納めた血税を「チューチュー」と啜《すす》る輩《やから》が登場してくるのです。

有本　今後、教育現場や自治体は、相談員の確保に動くでしょう。仮に学校でトランスジェンダーの子供が相談を持ちかけた場合、保健の先生では対応できないので、相談員が必要になるというのです。

しかし現状では、百田さんがおっしゃったように保守系のネットワークには人材があまりいないそうです。また講習会を行うにしても、講師がいません。となると、左派のネットワークに頼らざるを得なくなってしまいます。左派には、ＬＧＢＴ理解増進法ではなくＬＧＢＴ差別禁止法を求めているような人たちばかりがいます。そんなラディカルな団体に多額の公金が次々と流れてしまうわけです。

百田　そんな団体から派遣された人たちが、教材や講演を通じて次々とＬＧＢＴへの過度な保護を訴える。教育現場も自治体も混乱することは目に見えています。

子供たちを洗脳する

有本　ＬＧＢＴなど性的少数者を保護しようと邁進《まいしん》する自治体は少なくありません。たとえば大阪府池田市です。同市の広報誌『いけだ』二〇二三年七月号では、「誰もがありのままの自分で暮らせるように～『性の多様性』について理解を深める～」という特集を組み、以下のように書いています。

〈性別は男と女の二通りしかないと考えがちですが、実際は一〇〇人いたら一〇〇通りのあり方があるといわれています。

性は四つの要素の組み合わせからできているという考えがあります。その組み合わせは多種多様で、グラデーションのようであると表現されます〉

百田　性別が一〇〇種類もあるはずがないですよ。これを書いた人間の頭のなかを見てみたいですね。この人物はいったい何種類くらいの性を見たのか。

有本　さらにこの記事では、〈注意が必要な言動や行動〉として〈普通の人〉という言葉を挙げています。〈普通の人〉とは、おそらく「性的に普通の人」のことを指すのだと思いますが、それを使うべきではないというのもおかしな話です。

実は、LGBT法が施行される前から、教育現場でLGBTに対する保護に力を入れている自治体があります。日本保守党の小坂英二東京都荒川区議会議員によれば、荒川区では二〇二二～二三年度に年間四～五回ほど研修を行ったそうです。

毎回の研修では外部から講師を招いているのですが、その大半は左翼思想に染まった人たちであり、「マジョリティの特権」という講義が行われたこともあったと言います。その内容は、「LGBTに該当しない私たちはマジョリティという特権を持っている。それなのにLGBTを保護しないマジョリティは、積極的差別主義者だ」というものだったそうです。

百田　教員がそんな考えに感化されたら、年端《としは》もゆかぬ子供たちを洗脳しかねません。

有本　文部科学省は学校・教職員への制度指導に関するガイドラインとして、「生徒指導提要」を作成しています。二〇二二年一二月に公表した改訂版では、「性的マイノリティに関する課題と対応」という項目が加わり、以下のように記されています。

〈性的マイノリティに関する大きな課題は、当事者が社会の中で偏見の目にさらされるなどの差別を受けてきたことです。少数派であるがために正常と思われず、場合によっては職場を追われることさえあります。このような性的指向などを理由とする差別的取扱いについては、現在では不当なことであるという認識が広がっていますが、いまだに偏見や差別が起きているのが現状です。（略）教職員の理解を深めることは言うまでもなく、生徒指導の観点からも、児童生徒に対して日常の教育活動を通じて人権意識の醸成を図ること

が大切です〉

また、学校での服装については「自認する性別の制服・衣服や、体操着の着用を認める」、更衣室については「保健室・多目的トイレ等の利用を認める」、トイレについては「職員トイレ・多目的トイレの利用を認める」と明記しています。

百田　これでは現場の教員の負担はますます増える一方です。

有本　小坂議員はまた、文京区が作成した「教職員のための性自認及び性的指向に関する対応指針」を危惧しています。「課外活動等における配慮」という項目に、次のように明記されているからです。

〈部活動への参加に際し、出生登録時の性別を理由に制限しない〉

百田　それを素直に解釈すれば、「ぼくは男だけど心は女」と言ったら、女子の部活に参加できることになりますね。

有本　法整備などでLGBTを過度に保護しようとする動きに対して、異を唱えているLGBTの当事者もいます。私もこれまで何人もの当事者の人たちから話を伺いました。そのなかにはLGBT理解増進法では満足せず、差別禁止法を成立させてほしいと考えている人もいますが、一方では法律など作らないでほしいという人や、慎重に進めてほしいと訴える人もいます。なぜ文京区がこのような対応指針を作成したのかは分かりませんが、ＬＧＢＴ法が成立したために、今後は似たような取り組みを行う自治体が全国に増えるはずです。

ＬＧＢＴ法で混乱する皇位継承権

百田　ＬＧＢＴ法は皇位継承にも影響を与える危険性があります。

有本　安倍晋三元総理も生前、そのことを危惧していました。二〇二三年五月二二日の「夕刊フジ」で、麗澤《れいたく》大学教授の八木秀次《ひでつぐ》氏は、次のように書いています。

〈二年前の四月、超党派議連が「ＬＧＢＴ差別禁止法案」をまとめているとの情報を得て、安倍晋三元首相らに「問題の所在」を最初に説明したのは私だった。

例えば、安倍氏は、「性自認」での差別禁止で「性別」の概念が崩れることを懸念した。肉体は男性だが、性自認が女性の「トランス女性」が女性用の風呂やトイレなどに入ってくることの問題は指摘されている。

安倍氏は、肉体は女性だが、性自認が男性の「トランス男性」を男性と扱うことになれば、皇位継承権者を「皇統に属する男系の男子」とする皇位継承の原理自体が崩れること

まで憂慮した〉

百田　安倍元総理が危惧していたのはもっともなことです。いまは問題がなかったとしても、将来的に大きな問題に発展する可能性もあります。これはあくまで仮定の話ですが、一〇〇～二〇〇年後に皇女が「私は男です」と言ったらどうするのか。また、仮に皇女を男性と認めた場合、その皇女は生物学的には女系男子になりますが、必ず「男性と認めた以上は男系男子だから、皇位継承の権利がある」という声が上がります。これを認めるのかどうかで日本は紛糾するでしょう。こういうことを言うと「陰謀論」と批判されるのですが、LGBT法推進派は、日本の社会と文化を破壊しようとしている連中です。おそらく皇室のことまで考えて、危険な種を植えつけたと見るべきだと私は思っています。

いまも日本はアメリカの植民地か

有本　さらにLGBT法をめぐる一連の動きで看過できないのは、ラーム・エマニュエル駐日アメリカ大使の言動でした。エマニュエル大使はたびたびLGBT法について言及しました。これは完全な内政干渉です。

二〇二三年四月に都内で行われた「東京レインボープライド2023」では、自民党の稲田朋美衆議院議員や森まさこ参議院議員と一緒にパレードに参加しています。
また同じ時期に、自民党衆議院議員の山下貴司氏、小田原潔《おだわらきよし》氏、鈴木貴子氏、公明党参議院議員の谷合正明《たにあいまさあき》氏、立憲民主党参議院議員の牧山ひろえ氏を東京・赤坂にあるアメリカ大使公邸に招いています。全員ＬＧＢＴ法推進派です。
内政干渉をする大使の横で笑顔を浮かべる議員たちを見て、日本はいまだにアメリカの植民地なのだと改めて痛感しました。植民地なら、せめて対中政策においてもアメリカと足並みを揃えて、強硬な態度をとってもらいたいものです……。まあバイデン政権がはたして本当に対中強硬なのかは意見が分かれるところですが。

百田　エマニュエル大使は本当に危険です。Ｇ７広島サミットが開幕する直前の二〇二三年五月一二日には「ＬＧＢＴＱＩ＋の権利を支持する在日外国公館のメッセージ」なるビデオメッセージまで発表し、「日本にはいま希望の兆《きざ》しが見えています」などと語っています。要は「ＬＧＢＴ法の成立が見えている」と言いたかったのでしょうが、「希望」ではなく「絶望の兆し」ですよ。

有本　彼は自身のＸでも、たびたびＬＧＢＴ法についてポストしています。
〈平等へのカウントダウンが今始まります。（略）すべての人の平等な権利のために、誰かが我慢をする必要はありません。今こそ国会に皆さんの声を届け、われわれの価値観が忠実に守られるよう行動するのです〉（二〇二三年四月二六日）

まるで「日本には平等はない」というような言い分です。

また、ＬＧＢＴ法が成立する前日の二〇二三年六月一五日には、以下のようにポストしています。

〈ＬＧＢＴＱＩ＋の権利前進に向け、着実な歩みが今日も続いています。参議院内閣委員会での採決は、国会のリーダーシップが平等とインクルージョンに全力で取り組んでいることを国内外に示すものです。明日、国会は新たな歴史をつくるのです〉

百田　戦後、日本を統治したＧＨＱのダグラス・マッカーサーにでもなったつもりでしょうか。

有本　その三日前には山口那津男公明党代表と握手した写真を掲載し、こうポストしています。

〈国家安全保障からあらゆる人の人権促進に至るまで、山口代表そして公明党は連立与党として、不可欠なガバナンスを発揮しています。変化を生み出すのはリーダーシップです。山口代表のリーダーシップのおかげで、史上初のＬＧＢＴ理解増進法案が今週、国会を通

過する見通しです〉

さすがに頭に来た私は「Mr.Ambassador, that's none of your business（大使閣下、あなたの知ったことではありませんよ）」とコメントしました。

すると、このコメントを読んだ在米ウイグル人の友人から、「なんでそんなコメントをしたのか？」と質問のメールがきました。アメリカでは議員が超党派でウイグル人を支援しているので、彼らは民主党に対してもポジティブな印象を持っているのです。そこで私がエマニュエル大使のＬＧＢＴ法に関する言動を詳しく説明したところ、「彼はそこまで日本に内政干渉をしているの？」と驚いていました。

彼の言動については、アメリカ国務省の関係者や在日米軍関係者も困惑していると言います。また、アメリカのＦＯＸニュースも批判的に取り上げています。

百田　「古い因習にとらわれている日本でＬＧＢＴ法を成立させた」ということにして、自分の功績にしたいのかもしれませんね。

有本　そうだと思います。以前、ある共和党系の知人に聞いた話です。この人物は、「日本は日本人が考えているよりも大国なのだ」と言います。そしてアメリカ人は日本を「頼りになる同盟国だ」と思っている。その日本がＬＧＢＴ法を成立させてしまいました。政治に関心を持っているアメリカ人からすると、非常に強いインパクトがある出来事だったはずです。アメリカではLGBTをめぐって共和党と民主党が揉《も》めている時期でしたから。

百田　日本は約八〇年ぶりに、またアメリカの社会実験のモルモットにされているようです。戦後の日本を統治したGHQのなかには、共産主義者もいました。そんなGHQが問題だらけの日本国憲法を作り、そのほかにも社会的変革を強要しました。これは壮大な実験だったと思います。そして今、同じことが再び繰り返されているようです。

有本　エマニュエル大使の内政干渉に対して、日本の議員がほとんど誰も何も言い返さないというのが情けない……批判していたのは自民党の和田政宗参議院議員ら一部の議員だけでしょう。野党議員でもいいし、自民党の古参議員でもいいから、もっともっと多くの議員に反論してほしかったです。

もし石原慎太郎氏がご存命だったら、「こんなけしからん大使は、いますぐ本国に送り返せ」と言ってくれたはずです。

百田　国家解体を押し進める与党も野党もいまの政治家にはまったく期待できません。

第三章　自民党のどす黒い正体

反対者の多いLGBT法が成立した背景

有本　LGBT理解増進法の推進派（以下、LGBT法）の自民党議員は、党内でも国会でもろくに議論をせずに無理やりLGBT法を成立させました。この点について党内外の保守派から批判の声が沸き上がりました。しかし結局、国会で消極的に反対の意思を示した議員は衆参合わせてわずか十人足らず。極めて残念な、かつ危機的状況です。

このとき反対派の筆頭だった高鳥修一《たかとり》衆議院議員が、二〇二三年六月六日の「あさ8」にご出演くださいましたね。その後、高鳥議員は国会採決を退席しましたが、これに加え、「あさ8」に出たことで、党内で立場が相当悪くなったと仄聞《そくぶん》しています。

百田　立場が悪くなるのを承知で番組に出てくれたんですよね。漢《おとこ》やね。あのとき高鳥さんと奥様が私の YouTube を楽しんでくださっているとおっしゃっていました。だからというわけではなく、高鳥さんは私心のない、本当の知性を持った素晴らしい議員だと思いました。

さて、問題のLGBT法は議員立法で国会に提出され、二〇二三年六月一六日に可決、成立、二三日に施行されたわけですが、そもそも議員立法は、衆議院なら二〇人、参議院なら一〇人以上の議員の賛成者が発議《ほつぎ》します。

有本　日本には内閣府や外務省、あるいは防衛省など、一府一二省庁の行政機関があります。国会には衆参それぞれ一七の常任委員会があり、懲罰委員会を除く常任委員会は各省庁に連携しています。そのため内閣府、外務省、防衛省に対しては、内閣委員会（衆参両院）、外務委員会（衆院）、外交防衛委員会（参院）が存在するのです。

そして常任委員会と連動するかたちで、自民党内にも内閣部会、外交部会、国防部会といったように部会を設置しています。そこで国会会期中の平日の午前中、各テーマに沿って自民党議員が侃々諤々《かんかんがくがく》の議論を行っています。

百田　法案提出に当たって、まずはこの自民党の部会で意見をまとめて、次に政務調査会（政調会）で審議しますよね。政調会は各部会でまとまった案をもとに、政策や法律の立案、作成、そして実行を担《にな》う自民党内の組織です。

政調会が承認したら、次に総務会で審議します。総務会は自民党の意志決定機関で、総務会が承認して初めて国会に法案が提出されるという流れですね。

有本　ＬＧＢＴ法は、内閣第一部会と性的マイノリティに関する特命委員会の合同会議というかたちで、四回にわたって議論されました。そのたびに反対派の議員から連絡をいただきました。そして、この四回とも、賛成派より反対派の議員のほうが多かったと言います。賛成派は動員をかけたそうですが、それでも反対派の数が上回りました。

百田　二〇二三年五月一二日の部会では、二八人の議員が発言。賛成派が一〇人だったのに対して、反対および慎重派は一八人にのぼったといいます。にもかかわらず、法案は部会長一任となったのです。

有本　内閣第一部会の部会長は森屋宏氏が務めていました。法案提出を推進し、部会で雛《ひな》壇《だん》に座っていたのは、衆議院議員の古屋圭司氏、新藤義孝氏、稲田朋美氏、髙階《たかがい》恵美子氏、城内実《きうちみのる》氏で、いずれも清和会《せいわかい》（当時）に所属する議員、もしくは安倍晋三元総理から恩顧を受けた議員でした。

百田　本来なら「反対多数なので、LGBT法案の議論は終えます」と言って廃案にすべきでしたが、なぜか部会長一任になった……反対の声のほうが多くても、そんなものは知ったことではない、ということです。その後、古屋氏や萩生田《はぎうだ》光一氏は開き直り、「自民党では多数決は取らない」などという趣旨の発言をしていました。たしかに部会で多数決を取ることはないようですが、満場一致で部会長一任になるのが通例でしょう。

このLGBT法をめぐっては、非常に不合理なことが行われたのです。当然、反対派の議員は怒りました。

有本　法案を推進した古屋氏、新藤氏、稲田氏のほか、衆議院議員の橋本岳《がく》氏、参議院議員の石田昌宏氏は一般社団法人ＬＧＢＴ理解増進会の顧問を務めています。

同会のホームページによれば、同会は二〇一五年一二月二五日に設立され、〈自由民主党性的指向・性自認に関する特命委員会アドバイザーである繁内幸治《しげうちこうじ》を代表とし、各府省庁および自民党と協働し、「ＬＧＢＴ理解増進法（性的指向および性同一性に関する国民の理解増進に関する法律）」の成立に向け活動〉している団体です。

百田　要するに、古屋氏、新藤氏、稲田氏らは、この団体と結託して、ほかの議員にどんなに反対されようとも、端《はな》からＬＧＢＴ法を成立させる気だったと見られても仕方がないですね。

有本　彼らは彼らなりに、ＬＧＢＴ法を成立させたほうがいいと思い込んでいるのだと思います。ただ彼らがＬＧＢＴ理解増進会の顧問を務めていることは繰り返し強調していきたい。そして、ＬＧＢＴ法を推進する団体は、利権を作ろうとしているはずなのです。これからは、全国の自治体に入り込んで「性的少数者への理解」をテーマにしたパンフレットを作成したり、あるいは自治体の職員や学校の教員・生徒を対象に講習会を行ったりするでしょう。要は第二章でも解説したように、公金の吸い上げを狙っているわけです。

百田　はっきり申し上げます。古屋氏、新藤氏、稲田氏など法案を推進した連中は保守の皮を被《かぶ》ったクズです。みんな安倍晋三氏のおかげで大臣になることができた連中です。なかでも稲田氏は、特に安倍氏から目をかけられていました。

弁護士だった稲田氏は、「南京事件の際に日本兵による一〇〇人斬り競争が行われた」という嘘をめぐる裁判に際し、「でっち上げである」と主張しながら法廷で戦いました。それを評価した安倍氏が声をかけたからこそ、稲田氏は政界入りできたのです。

当選後の稲田氏は出世街道を歩み、一時は「女性初の首相候補」などと祭り上げられました。しかし、議員としてはまったくの無能でした。私も稲田氏とは何度かお会いしたことがありますが、本当にものを知らない人物です。法律以外の知識は非常に薄い。それゆえなのか、話もつまらないのです。

稲田氏はもちろん、古屋氏も新藤氏も、もし安倍氏がご存命だったら、ＬＧＢＴ法を無理やり成立させることなどできなかったはずです。

安倍元総理の遺志を捻じ曲げ嘘をつく輩

有本　実際、二〇二一年にも自民党内でＬＧＢＴ法案が議論されましたが、このときに待ったをかけたのが安倍氏でしたからね。安倍氏は「性自認」と「差別はダメ」という文言《もんごん》がセットで出てきた時、こんな法案はダメだと明確におっしゃっていました。

実は、同年五月下旬、東京・永田町の議員会館で、その安倍氏とお会いしました。

安倍氏は挨拶もそこそこに、堰《せき》を切ったように、「いま稲田朋美がここにいたのだけど、泣いて、私をなじって、帰っていったんだ」と言うのです。LGBT法について議論していたら、稲田氏がヒステリックになったというわけです。安倍氏は、動揺していました。

それから安倍氏は、私に対し、「なんで稲田はああいうふうになっちゃったんだと思う？」と尋ねてきました。その場で稲田氏を批判するのは憚《はばか》られたので、私は「よく言えば共感力が高くて、周りの人の話を聞き、私がやらなきゃ、と思ってしまったのでしょうかね」と答えました。すると安倍氏は「そうだね、共感力なぁ……」と呟《つぶや》き、何か別のことを考えていらっしゃるようでした。

余談になりますが、稲田氏は二〇一九～二〇二〇年に幹事長代行を務めていたときに、二階俊博幹事長（当時）に急接近しました。一九年には二階氏の同意のもとで自民党女性政策推進室を設置、初代室長に就任しています。

これに対してある議員は、「既に女性局があるのに、女性政策推進室を作る必要があるのか？」などと憤《いきどお》っていました。

当時の稲田氏は、「安倍派にいても面白くないから、二階派に入りたい」といった趣旨の発言もしています。これは記者も聞いており、安倍氏の耳にも入っていたそうです。

稲田氏がどういう思いでこういう発言をしたのかは本人に確認をとっていないので分かりません。ただ、記者の前で語るような性質の事柄ではありません。稲田氏は安倍氏に買われて政界入りし、その後も安倍氏から要職を与えられて出世したわけですから。

百田　穿《うが》ちすぎた見方かもしれませんが、彼女は誰に付いていけば自分は出世できるかと、そんなことばかり考えているように感じます。

有本　さて、ここで三年前の凄《すご》い偶然をご披露しますが、二〇二一年五月のあの日、私の次に安倍元総理と面会したのが、高鳥修一衆議院議員だったのです。私は高鳥氏と安倍事務所の入口ですれ違った。このとき高鳥氏もやはり、安倍氏から、稲田氏になじられた話を聞かされたと証言しています。

百田　稲田氏は二〇二三年三月二五日にネット番組「NewsBAR橋下」に出演した際に、次のように語っています。

（稲田氏のモノマネで）「安倍さんはいまから考えると（LGBT法に）反対だったのだと思

います。間違いなく」

「私は何回も相談に行って、こうしてこうしてとか言って……言っていたので、理解してくれていると思っていたのですけど、実は反対だったということが後から分かりました。(反対と）言ってくれたらよかったのに」

最後は笑いながら喋《しゃべ》っていました。

有本　安倍氏の本意は、稲田氏本人に伝わっていたはずです。だからこそ稲田氏は、LGBT法を推進するに際し、安倍氏の前で泣くしか手がなかったのでしょう。

多くの人がLGBT法の件で安倍氏と話しており、その意向を聞き証言しています。稲田氏がそれを知らなかったはずもないのですが。

百田　稲田氏は、「死人に口なし」と言わんばかりに、安倍氏が亡くなったから好き勝手な嘘をついているとしか思えません。

安倍氏に関しては、古屋氏もデタラメな主張をしています。二〇二三年五月一六日に、自身のブログでこう書いたのです。

〈改めて強調したいのは、我々が目指すのは理解増進であって、一部急進的野党等が主張する差別禁止とは基本的に全く異なる別物なのだ。そして、この考え方は、故安倍元総理

とも度々相談し同意しているものなのだ〉

有本　よく推進派は「ＬＧＢＴ法の成立は安倍元総理の意思だった。選挙公約にも掲げているではないか」と主張するのですが、数多くある選挙公約の一つに過ぎず、安倍氏は「理解増進を広く国民に呼びかける」程度の議員立法に賛成だったに過ぎません。実際、安倍氏は一貫してＬＧＢＴ法に慎重な立場を取っていました。

安倍氏はＬＧＢＴ法の危険性を認識されていました。性的少数者への過度な保護を進めた結果、社会が混乱したアメリカ社会についても、よく理解されていたのです。「自分もいまさらながら議員たちにＬＧＢＴ法の危険性を説明している」「アメリカのニュースを見て、アメリカで何が起きているか知ったほうがいいと、議員たちに伝えている」などと話されていたことを覚えています。ＬＧＢＴ法の成立に向けた動きが加速する自民党で、防波堤になっていたのです。

安倍氏が最も恐れていたのは、トランスジェンダーを悪用する事件が頻発することです。また、教育現場で過激な性教育が行われるようになり、子供たちが混乱することを危惧《きぐ》されていました。現にアメリカでは教育現場も社会も混乱しています。「そんなものを日本に持ち込むべきではない」と、はっきりと私におっしゃっていました。推進派は安倍氏の遺志を明らかに捻《ね》じ曲げ嘘をついています。

ウイグル議連会長の裏切り

百田　第二章でも一部紹介しましたが、古屋氏は同じブログのなかで、看過できないことを書いています。読みづらい文章ですが、次のようなものです。

〈G7の中でLGBTに特化した法案を持つ国はない中、日本はややもすると人権に後ろ向きと謂《いわ》れのない風評被害（批判）に対して、議長国として主体的に岸田首相は「我が国政府・議会は理解増進法案を取り纏《まと》めた。日本国内は歴史的に性差に対し鷹揚《おうよう》な文化を形成してきた。しかし、世界の流れを捉《とら》え、日本は先駆けて今般このような法案を取り纏めた。文句あるか！」と堂々と主張してほしい〉

LGBT法を成立させたからといって、世界に対して威張るようなこととは思えません。「文句あるか！」と言うためだけにLGBT法を成立させたのでしょうか？　まったく意味が分かりません。

有本　私と古屋氏とのあいだでは、いまも冷戦状態が続いています。古屋氏は日本ウイグル国会議員連盟の会長でありながら、対中非難決議に消極的な姿勢を示したからです。

二〇二一年、ウイグルなどの人権問題に関する対中非難決議を国会で採択すべく、当時は衆議院議員だった長尾たかし氏を中心に働きかけました。私もウイグル人を連れて古屋氏の議員会館の事務所を訪れました。しかし古屋氏は、「決議は全会一致が前提で、その根回しが大変だから」と尻込みしたのです。

それを言うなら、議員立法も全会一致が前提です。ＬＧＢＴ法を無理やり成立させるなら、対中非難決議も採択できたはずです。結局、古屋氏は、対中非難決議をする気がなかっただけなのです。

百田　古屋氏は、拉致議員連盟の会長も務めていますが、正直こんな頼りない人が役に立つとは思えません。

有本　以前、五〇くらいの議連の代表を務めていると自慢していましたよ。結果を出してくれるなら、どんどんやってもらって構わないのですが……。

百田　「肩書きコレクター」かいな。実際に何か成果を上げたのでしょうか？

支持者を「ネトウヨ」と蔑み切り捨てる

有本　古屋氏は、ＬＧＢＴ法の成立前に議論の進捗《しんちょく》状況を岸田首相に報告した際、次のように説明したといわれています。

「（ＬＧＢＴ法に）反対しているのは、所詮《しょせん》ネトウヨですから」

第二章でも述べた通り、ＬＧＢＴ法が皇室の危機に繋がる可能性も否めません。私は朝敵にはなりたくないですから、「ネトウヨ」で結構です。古来、日本では朝敵がどういう末路を辿ったか、さすがに閣僚経験者ならご存じのはずですが。

多くの有権者がネット上で安倍政権を力一杯応援してきたのです。彼らの力を一番よく分かっていらっしゃったのが安倍氏です。しかし古屋氏は、彼らを「ネトウヨ」と蔑《さげす》み切り捨てたのです。

百田　古屋氏は私たちが出演していたネット番組「真相深入り！虎ノ門ニュース」に出演したこともありましたね。

有本　先述したように、自民党は二〇一六年に性的指向・性自認に関する特命委員会を立ち上げました。その直後に委員長の古屋氏を番組にお招きしたのです。

番組では、どうして自民党が、それも保守派であるはずの古屋氏と稲田氏がＬＧＢＴ特命委員会の中心になっているのか、その理由を訊きました。すると古屋氏は、「日本にはキリスト教圏とは違う伝統がある。そんな日本で左派がＬＧＢＴなど性的少数者を利用して、人権擁護法案のような危険な法律を作ろうとする動きがあるので、それを止める。そして保守らしく包括する方向を模索するために特命委員会を作った」という趣旨の話をされました。

いまになって思えば、この説明は嘘だったのです。

百田　そして古屋氏はＬＧＢＴ理解増進会の顧問に就任しているわけです。最初から利権が目的だったのではないかと勘繰《かんぐ》りたくなります。

法曹界出身議員のおかしさ

有本　ＬＧＢＴ法を推進した議員のなかで、大きな嘘をついた議員が、稲田氏や古屋氏のほかにもう一人います。山下貴司衆議院議員です。

山下氏はＬＧＢＴ法案提出者の一人でありながら、Ｘ上で「先生はＬＧＢＴ推薦派議員なのですか?」と問われると、次のように答えたのです。

〈どちらでもなく、『寛容な保守派』です〉

まったく答えになっていません。寛容なとか、真のとか、皆さん単純明快に「私は保守です」と言わずに何だかんだと頭に付けたがるんですね。変な人たち(笑)。国際派でもある山下氏は当然ご存じでしょうけれど、アメリカでも欧州でも、ＬＧＢＴに特化した法律を出すような議員を「保守派」とは言いません。

百田　山下氏はなぜ正直に「私はLGBT法推進派です」と言わないのか？

有本　やはり地元の反応が怖いんじゃないでしょうか。山下氏の選挙区の岡山は保守的な土地柄ですからね。第二章で述べたように山下氏は他のLGBT法推進派の議員らとともに、東京・赤坂のアメリカ大使公邸に招かれています。前衆議院議員の長尾たかし氏の話によれば、多くの日本の国会議員にとってアメリカ大使館に招待されることは非常に名誉なこと、招待されると皆、大喜びで出かけていくそうです。今回、それに応じなかったことを公表している議員が、有村治子《はるこ》参議院議員です。アメリカに媚《こ》びない、立派な姿勢だったと思います。

山下氏の本音をあえて邪推すれば、アメリカ大使にはいい顔したい、しかもこの法律を成立させれば、「私たちは性的少数者に対して寛容である」というイメージを纏うことができる。一方で、地元の保守的なおじさん、おばさんに「女風呂を危険に晒《さら》した」とは思われたくない。だから「推進派です」とは言わない。こんなところでしょう。

しかし山下氏の取った行動は、多くの国民、とりわけ女性や子供たちに対しては危険なものです。なぜなら彼らが目指しているのは、見た目が男性の自称「トランス女性」が女風呂に入ってきても悲鳴を上げたりしてはいけない、という社会なのですから。

山下氏は東京大学法学部卒で、特捜検事を務めていた人です。米国の日本大使館勤務の折には慰安婦裁判を勝利に導いた功績もある人ですが、とにかくＬＧＢＴ法関係では評判が悪かったですね。部会に参加していた複数の議員によると、かなり上から目線で、「法律家はこう考えるのが常識です」といった趣旨のコメントを挟みながら、ＬＧＢＴ法の意義を語っていたといいます。しかし、片山さつき参議院議員が、そんな山下氏を論破したそうですが。

G7でLGBT法があるのは日本だけ

百田　ＬＧＢＴ法推進派の議員は、ほかにも嘘をついていました。「ＬＧＢＴ法がないのはＧ７で日本だけ」という大嘘です。「朝日新聞」や「毎日新聞」などの左派メディアも同様の報道をしていました。

有本　許しがたい嘘です。これについては、二〇二三年六月一五日、参議院内閣委員会で、前出の有村議員が外務省に対し次のように質問しました。

「『朝日新聞』『毎日新聞』『日本経済新聞』『東京新聞』が、日本だけがＬＧＢＴに関する立法が遅れていると報道される一方、『読売新聞』や『産経新聞』は、ＬＧＢＴ法案がないのは日本だけだというのは誤りである、各国ともＬＧＢＴに特化した差別禁止法を設けていないのが一般的だと報じており、報道のトーンは対立をしています。いったい、どちらが正しいのでしょうか？

Ｇ７、先進七カ国において、ＬＧＢＴに特化した法律を持っている国はどのくらいありますか？」

これに対して外務省大臣官房審議官の石月《いしづき》英雄氏は、次のように答えました。

「いわゆる性的指向、性自認を事由とした差別に特化した法律は、外務省としては把握してございません」

ちなみに自民党では、党内の検討会でもこの件に触れ、「他国ではＬＧＢＴに特化した法律はない」という結論を出しています。それなのに推進派の議員やメディアは真っ赤な嘘を広めて、世論を誘導しようとしたのです。

なお、Ｇ７のなかで唯一カナダでは、カナダ人権法で、差別禁止の対象として「性的指向」や「性自認」を明文化しています。ただし、これはＬＧＢＴに特化した法律ではありません。

百田　要するにＬＧＢＴ法推進派は「日本は欧米に比べて遅れている」という嘘をついた。そう言われて「こりゃ日本でも急いでＬＧＢＴ法を成立させなくては」と騙《だま》されてしまう人が一定数いたわけですね。

有本　国会議員とマスメディアが国民を欺《あざむ》いて国を破壊しかねない法律を成立させた。万《ばん》死《し》に値《あたい》します。

欧米では反LGBT法が急増

百田　G7で唯一、性的少数者の保護に特化した天下の悪法を成立させたために、いま日本は「LGBT先進国」になりました。逆に欧米では、LGBTに対する過度な保護を危惧する声が頻々と上がっています。アメリカでは、共和党が中心となった揺り戻しが起きているほどです。

有本　アメリカでは各地で反LGBT法が成立しており、その数は七五以上にのぼるとされています（二〇二三年六月時点）。たとえばフロリダ州では、ロン・デサンティス知事が中心となって動き、小学校での性自認や性的指向などの話し合いを禁じる法律が成立しました。

「東京新聞」の記事によると、次のようなことも起こっています。

〈米国で学校図書館などから性的少数者（LGBTQ）や人種問題などに関する書籍を排除する「ブック・バン（禁書）」が広がっている。保守派の一部が子どもへのリベラルな価値観の浸透に抵抗しているためだ。表現の自由の制約に懸念が強まるが、来年の大統領選を目指す共和党トランプ前大統領やデサンティス・フロリダ州知事らは同調の動きを見せている〉（二〇二三年六月二三日付）

当然、ＬＧＢＴ推進派はこれに抗議していますが、子供たちが使う学校の図書館に置く本を規制するのは当たり前の話です。

百田　ポルノまがいの教材がたくさんあり、これらは慎重に扱うべき類《たぐい》のものですから。

有本　実際、アメリカの性教育で使われている教材のなかには、同性愛者の性行為を事細かに解説するものまであるので、親が懸念を示すのは当然でしょう。

百田　日本の国会議員も、こうした世界の動きを見ているはずですが、世界の流れに逆行しています。愚かとしかいえません。

有本　ＬＧＢＴ法が成立した直後の二〇二三年六月二一日、自民党の一部議員によって設立された「全ての女性の安心・安全と女子スポーツの公平性等を守る議員連盟」（女性を守る議連）の初総会が党本部で行われました。自称「トランス女性」が同法を悪用するのではないかという声は多く、そうした国民の不安を取り除くことが目的です。

発起人代表は参議院議員の世耕弘成《せこうひろしげ》氏、橋本聖子氏、山谷《やまたに》えり子氏、片山さつき氏が務め、初の総会には衆参両院の四三人の議員が出席しました。このとき世耕氏は挨拶で、「LGBT法制定の過程で、公衆浴場や公衆トイレでの懸念が示された。手を加えるべきところがあるかどうかをフラットに議論していくことが極めて重要だ」と述べました。

百田　「フラットに議論するなら、法を成立させる前にやれよ!」というツッコミが多数聞こえてきそうです。

有本さんはジャーナリストの櫻井よしこ氏とともに、「女性を守る議連」の総会に出席しましたよね。出席することになった経緯を教えてください。

「この法案は吊るしになる」の意味

有本　最初は、「なんで有本が出席したのだ」「新党を作ろうとしている有本を呼ぶなんて自民党は懐《ふところ》が深い」などという自民党支持者の声が聞こえてきましたが、まったく気にしませんでした。

この議連の設立を先導したのは片山氏です。短期間で議連を立ち上げられたのも、片山氏の頑張りがあったからです。彼女はLGBT法に対してずっと懸念を示していました。そして同法が成立する直前に議連の発足が決まると、「総会に参加しませんか?」と誘ってくださったのです。

ＬＧＢＴ法に反対する私たちから見ると、この議連は選挙対策のためのガス抜きではないかと感じます。だから片山氏からのお誘いを断ろうかと思ったのですが、百田さんはこんなことを言うわけです。

「有本さん、とにかく総会に参加して。わし、自民党は信用してないんやけど、法律が通ってしまった以上、もう、何をおいても女性と子供を守るしかないやんか。それが先決やから」と。

百田　我ながらええこと言いますね（笑）。

有本　この一言で参加を決めました。いつも「あさ８」でＮＧワードの連発や、おバカ発言も多い百田さんですが、こういうときには、実にもっともなことを言いますね。

百田　ＮＧワード連発していますかね。こう見えてもうまくぎりぎりのところで寸止めしているつもりなのですが（笑）。

まあ、その話はさておき、総会では、どのようなことを話したのですか？

有本　事前に片山氏からは「自民党の議連なので、そんなに厳しいことは言わないでくださいね」と釘を刺されていました。あくまで議連であり、私や櫻井氏はオブザーバーなので、発言する機会はないと思っていました。

ところが、総会の冒頭で「参加者を紹介していくので、三〇秒くらいでお話しください」と言われました。そこで私は次のような話をしました。

「私はこの法律をあっという間に通した顛末《てんまつ》で、自民党に失望ではなく、絶望しました。敢《あ》えて言わせていただきますけど、この会合も順序が逆ですよ。LGBT法案を国会に提出する前に、女性の安心・安全と女子スポーツの公平性を議論すべきでした」

百田　櫻井氏はどんな話をしましたか？

有本　「多くの自民党の関係者から『この法案は吊るしになる』と聞いていました」と切り出しました。要は「法案を成立させる気はない」と聞いていたということです。

続けて櫻井氏は、「それなのに、あれよあれよという間に通ってしまったではないですか。私は自民党にというより、岸田さんにがっかりしました」と話されていました。

百田　自民党は本当に汚い手を使いましたね。

自民党は「いらんこと」をしている

有本　総会には主に反対派・慎重派の議員が集まったので、法律の成立に対して悔やむ思いを口にしていました。そのなかで切実だと思ったのは、松本尚《ひさし》衆議院議員の話です。医師でドクターヘリによる重症外傷診療を担っていた松本氏は、医療現場の観点から懸念を示されていました。

それから橋本聖子氏は元スポーツ選手なので、スポーツ界における性の問題の変遷《へんせん》についてかいつまんで話したうえで、「女性スポーツにおける安全性を担保しなければならないから、この法律によってそれが脅《おびや》かされたり、みんなが不安になったりすることがないようにしなければならない」と警鐘《けいしょう》を鳴らしておられました。

百田　特に印象に残っている発言はありますか?

有本　衆議院の採決の際に退席した高鳥修一衆議院議員が真っ先に発言され、「ジェンダーアイデンティティの訳語は決まったのか」と質問しました。当然の質問ですよね。この法律の肝《きも》となる言葉ですから。また、採決を欠席した杉田水脈《みお》衆議院議員は、「性的マイノリティと呼ばれる人たちが、いったいどれだけいるのかという基礎データもないまま議論が進んでいる、それは危険だ」と主張されていました。

有村治子参議院議員は、法案が成立する前の国会質疑で、ＬＧＢＴ法の提出者の一人である新藤義孝衆議院議員から、「男女という性別に基づく施設の利用の在り方を変えようというものではない」という言葉を引き出しています。この点に改めて言及したうえで、「そうしたことを踏まえてガイドラインを作成しなければならない」と主張していました。

百田　議連にはLGBT推進派の議員も参加していたと聞きましたが？

有本　法案の提出者になった一人が総会に参加していて、「この法律が通ったことによって新たな権利も義務も発生しない。あくまで理念法だから」といった趣旨の発言をしていました。しかし私たちが指摘しているのは、法律に権利や義務が明記されているか否かではなく、この法律が施行されたことによって何が起こるかを懸念しているわけです。この議員は問題点をまったく理解していません。

百田　LGBT法の採決には党議拘束がかけられ、欠席・退席した一部の議員を除き、みな賛成しました。結果、自民党議員は難しい立場に陥《おちい》りました。いくらLGBT法に懸念を示していたとしても、「あなたも賛成したではないか」と責められるし、何も言い返すことができないわけですから。

有本　それは事実です。実際、総会では、「この数日間モヤモヤした気分で過ごしました」と吐露する議員もいました。

山谷氏からは、総会が終わったあとに、こう告げられました。

「厳しく批判していただいて、本当にありがとうございました。そういう声が民間から上がらないと、議連を発足させてかたちにしていくという流れにもならないですから」

百田　自民党はＬＧＢＴ法の成立後に、慌てて議員連盟を立ち上げましたね。つまり自民党は「いらんこと」をしているのですよ。ＬＧＢＴ法を無理やり成立させて、それで生じる弊害に慌てて対応しようとしている。たとえるなら、民家に火を点《つ》けた放火魔が一所懸命消火しているようなもの……はっきり言ってアホです。

自民党のルールが永田町のルールなのか

有本　ＬＧＢＴ法が施行された結果、保守派は自民党の行いに激しく憤っています。「女性を守る議連」はそのガス抜きとして設置されたという面もあるかと思いますが、ガス抜きで終わらせてはなりません。

百田　「女性を守る議連」の総会に集まった議員の大半は、女性の安全を守りたいと思っているはずです。しかし、ＬＧＢＴ法を推進した議員は、この議連を潰《つぶ》したいのではないでしょうか。

有本　ＬＧＢＴ法が施行された日の二〇二三年六月二三日付で、内閣府に基本計画の策定や国民への啓発活動に取り組む担当部署を設置しています。厚労省や法務省などの職員一人でスタートしています。今後は内閣府が中心となって政策の調整や推進を担う。この手回しの良さに気持ちの悪さを感じます。

議連の総会にはまた、内閣府のほか、文科省やスポーツ庁などの役人も参加していました。

百田 議連に参加した議員の多くは、ＬＧＢＴ法を何とかしたいという思いがある。でも、具体的に何ができるのか。ＬＧＢＴ法は既に施行されてしまいましたからね。

有本 永田町にいると良識を忘れてしまいがちです。毎日「官邸がこう言った」「あの議員がこう言った」ということに振り回されてしまうからです。良識や常識は二の次、三の次になってしまうのです。

百田 古屋圭司氏は保守系の YouTube 番組に出演して、「自由民主党は、多数決はしないです」と言っていました。そして自民党の慣例やルールを説明していました。

もちろん政治はスポーツとは違います。野球やサッカーの場合、たとえ試合中に納得のいかないジャッジがあったとしても、スポーツが定めるルールに従うしかありません。しかし、政治全般に自民党のルールが適用されることなどありません。ただ一つ、国民のために何をするかだけが大切なのです。多くの国民や、自民党議員すらも懸念を示す法案を無理やり通して、「これが自民党のルールだ」などと言うのはおかしいでしょう。

有本　なかには「反対派の主張は私たちも分かっている」と述べる議員もいます。しかし、まったく分かっていないからこそ、これだけ国民から不満が噴出しているのでしょう。

総会に参加してみて、「分かっているけど、いろいろと事情があるのだ」という言い訳に納得してはならないと、痛感しました。LGBT法推進派は、「ジェンダーアイデンティティ」の定義すらできないのですから。

百田　二〇一六年に性的指向・性自認に関する特命委員会を発足し、それから七年かけて議論したはずなのに、たった一日で日本維新の会案と国民民主党案を取り入れて法案を修正した連中ですからね。七年間、いったい何をやっていたのでしょうか。もはややることなすことが滅茶苦茶なんです。

保守派恫喝議員にカチンときた

有本　先に述べた「女性を守る議連」の総会が一時間ほどで終わると、参加者はみな席を立ち、話をしながら会議室を出ていきました。実は、そのとき、衛藤晟一《えとうせいいち》参議院議員が私と櫻井氏の前に立って、話しかけてきました。

「いや事情があって、この法案はちゃんと骨抜きにする手筈《てはず》で、野党とも話をしていて、結果的には賢い策だったと思いますよ……」

……と話し始めた。私はカチンときてしまい、「それにしても酷《ひど》い結果になりつつありますね」と突っ込んでしまったんです。すると、衛藤氏は一転してドスの利《き》いた声で、こう凄んできたのです。

「何を言っているんだ。くだらないことを言っているんじゃないよ。そもそも、あんた、保守を割る気か？」

LGBT法を危惧するのと、保守を割るのとは、まったく次元の違う問題です。そこで私は、すかさず「保守を割る？　一体いま、どこに保守があるのですか？」と大声で詰問しました。

そうして会議室を出ると、エレベーターホールには、総会に参加していた議員と記者が、ごった返すように密集していました。私はここぞとばかりに声を張って、「いま、衛藤先生から、くだらないことを言うな、と凄まれましたが、これからもどんどんくだらないことを言っていくつもりです。こんな法律をゴリ押しされては堪《たま》ったものではありませんから」と言ってやりました。捨て台詞《ぜりふ》を吐いて、自民党本部を後にしたのです。

百田　まあ、そんな愚かな議員がいるだろうことは、私は想像していました。

選挙が近づくと保守の顔をする

有本　おそらく、衛藤氏は、私のような保守派の民間人に対し、「同じ保守派なのだから、LGBT法を成立させなくてはならなかった事情も理解してくれるだろう」と思っていたのでしょう。

アメリカの保守派の論客は、ドナルド・トランプ氏が大統領を務めた二〇一七～二一年の四年間、トランプ政権を応援する一方で、時には厳しく批判していました。ところが日本では、議員と論客がべったりの関係になっていることが多く、「保守派の論客は保守派の議員を批判してはならない」といった風潮があります。

百田　相手が保守派であっても、おかしなことをしたら批判すべきです。私も新型コロナウイルスの対策をめぐって、当時の安倍総理を批判しました。

有本　衛藤氏が「くだらないことを言っているんじゃないよ」と私に凄んだのは、「仲間だと思っていたのに裏切りやがって」というニュアンスが込められていたようにも思えます。

しかし、私はジャーナリストである以上、議員が間違ったことをしていたら批判するのは当たり前のことです。

いずれにせよ自民党は、LGBTに特化した法律を、世界で初めて成立させてしまいました。この一点だけ見ても、自民党は極めてリベラルな政党だということが分かります。特に岸田政権は、極めてリベラルな政権です。

百田　安倍氏が総理として日本を率いた八年弱のあいだ、たしかに自民党は保守的でした。しかし自民党の歴史を振り返ってみると、極左政党ではないかと感じられる時代もありました。特に一九九〇年代は酷い有様でした。自民党は安倍晋三という奇跡のような政治家がいたからこそ「保守政党」でしたが、元来は保守でも何でもないリベラル政党であり、安倍氏を喪《うしな》い、その正体が明らかになったと言えるかもしれませんね。

有本　LGBT法推進派の議員は、異論を受け入れず、無理やり法案を通しました。これはまさに左派のやり方ですね。

自民党は、選挙が近づいてくると、せっせと保守的な主張を始めます。また、LGBT法を成立させ、コアな保守層から批判を浴びると、急に憲法改正の必要性を訴え始めます。いわゆる「保守しぐさ」というもので、要は保守票を逃すまいとするわけですが、これでは選挙民を完全に愚弄《ぐろう》しています。

ＬＧＢＴ法の成立に関しては、連立を組む公明党の意向もあったのだと思います。公明党の支援がなくなると落選してしまう議員が多いので、突っぱねることができなかったのかもしれません。

しかし自民党議員、特に執行部や政権のなかにも、ＬＧＢＴ法を成立させたい、あるいは成立させてもかまわないという考えがあったはずです。その考えがなかったら、こんな法律が成立するはずがありませんから。

また、欧米諸国に褒められたいという思いもあったのかもしれません。しかし、Ｇ７のなかでアジアの国、黄色人種の国は日本だけです。他の六カ国は移民政策を推進したために多民族国家になりましたが、もともとは白人によって作られたキリスト教的な価値観の国。Ｇ７のなかでも日本は特別な国なのですから、欧米とは違う価値観を深め、むしろ世界の人たちのために選択肢を示すべきなのです。

第四章　裏金・中国・パチンコ汚染

おどろきの「岸田首相だけは一切お咎めなし」

有本　二〇二三年末から二四年にかけて、政治資金パーティー券をめぐる「裏金」問題が表面化し国民の政治不信が頂点に達しました。

百田　政治不信は安倍晋三氏が凶弾に斃《たお》れてから、わずか一年たらずの自民党政治を見ていても既に頂点に達していましたが、もう完全に突き抜けた感じですね。

有本　五年間で安倍派（清和会《せいわかい》）では約六億七五〇〇万円、志帥会《しすいかい》（二階派）では約二億六四〇〇万円、岸田派（宏池会《こうちかい》）では三年間で約三〇〇〇万円のパーティー収入などを派閥の政治資金収支報告書に記載しておらず、東京地検特捜部は政治資金規正法違反の虚偽記載の罪でそれぞれの派閥の会計責任者を在宅起訴しました。一方で、政治資金規正法違反容疑で告発されていた自民党五派閥などの四二人を嫌疑なしや嫌疑不十分、容疑者死亡で不起訴処分としています。

主な名前を挙げますと、松野博一《ひろかず》前官房長官、高木毅《つよし》前国会対策委員長、世耕弘成《せこうひろしげ》前参議院幹事長、塩谷立《しおのやりゅう》元文部科学大臣、萩生田《はぎうだ》光一前政調会長、下村博文《しもむらはくぶん》元文部科学大臣、西村康稔《やすとし》前経済産業大臣など清和会幹部は、会計責任者との共謀が認められなかったため、立件は見送られ、細田博之氏は容疑者死亡で不起訴処分となっています。また、二階派では二階俊博元幹事長や平沢勝栄《かつえい》元復興大臣が、岸田派では岸田文雄首相や根本匠《たくみ》元厚生労働大臣が、やはり嫌疑なしと判断されています。

逮捕、起訴された議員は、どれも安倍派議員です。池田佳隆《よしたか》衆議院議員が逮捕され、大野泰正《やすただ》参議院議員は在宅起訴、谷川弥一《たにがわやいち》衆議院議員は略式起訴となりました。

百田　岸田首相は、安倍派の幹部や政治資金収支報告書への不記載が五年間で五百万円以上あった議員ら三十九人を処分しました。安倍派座長の塩谷氏と参院安倍派会長だった世耕氏には離党勧告。事務総長経験者の下村氏と西村氏は一年間の党員資格停止、萩生田氏には一年間の党の役職停止処分を下しました。要職を歴任し、二七二八万円と裏金額も多い萩生田氏への処分が軽すぎるとの批判もみられました。

有本　萩生田氏は岸田首相とも非常に近いのでそのあたりの情実が影響したと見られています。

百田　岸田首相は自分の派閥でも同じような不記載をやっておきながら、自身は一切お咎《とが》めなしです。そのことを国会で問われると、「具体的に（政治資金規正法などの）法改正などの結果を出すことによって責任を果たしたい」（二〇二四年三月五日参院予算委員会）などと論点をずらす答弁に終始しました。安倍派をはじめ党内から「同じようなことをやっているのになんでや？　岸田こそ処分せえよ」と不満が出るのも分からないではありません。実際、菅義偉《すがよしひで》前首相なども「岸田首相は責任をとるべきだった」と、いわば「退陣要求」ともとれる発言を公然と行っています（「産経新聞」二〇二四年六月二三日付「菅義偉前首相が事実上の退陣要求『このままでは政権交代』　政治不信は岸田首相に一因」）。

所得隠しの脱税

有本　裏金自体も問題ですが、とにかくその後の岸田政権の対応も問題だらけでしたね。

ここで改めて今回の裏金問題の経緯を簡単に振り返りたいと思います。

はじまりは、二〇二二年一一月六日号の「しんぶん赤旗日曜版」の報道でした。自民党の五派閥が派閥のパーティー券収入を長年、政治資金収支報告書に過少記載していたと報じました。この報道を受け、神戸学院大学の上脇博之《かみわきひろし》教授がさらに調査を重ねたうえで刑事告発し、検察が動きだしたのです。

上脇教授は二〇二三年一二月二六日の「朝日新聞デジタル」のインタビューで、次のように語っています。

〈政治団体の政治資金収支報告書を調べました。政治資金規正法では、一回のパーティーで同じ者が二〇万円を超えて支払った場合は、政治資金収支報告書に氏名、住所、金額などを記入しなければなりません。ところがパーティー券を買った業界の政治団体などは、報告書に支出として記載しているのに、売った派閥側に記載がない例がいくつもありました。二〇一八年から二二年まで五年間で六〇〇〇万円を超え、政治資金規正法違反で東京地検に告発を繰り返しました〉

実は、検察には上脇教授だけでなく、内部事情に詳しい人物からの情報提供もあったとされています。

百田　そもそも派閥や議員個人が政治資金パーティーを開催する際には、支援者にパーティー券を購入してもらいます。そして派閥のパーティーでは、所属議員にノルマが課せられます。私が聞いた話では、平《ひら》の議員は五〇〜一〇〇〇万円、閣僚経験者は五〇〇〇万円、幹部クラスの議員は七五〇〇万円分のパーティー券を売らなくてはならないとのことです。

ただし、ノルマを超えた分はキックバック（還流）してもらえます。つまり幹部クラスの議員が一〇〇〇万円分のパーティー券を捌《さば》いたら、二五〇〇万円をキックバックしてもらえる。ただ、これ自体は法に触れる行為ではありません。

問題視されたのは、キックバックされた分を政治資金収支報告書に記載しなかったことです。この時点で「裏金」となります。これは明らかな政治資金規正法違反です。ちなみに、ノルマを超える金額のパーティー券を売ったにもかかわらず、派閥に虚偽の報告をして、超えた分をすべて「ポッケないない（自分のポケットに入れて知らんぷりすること）」した議員もいるとされています。

有本　百田さんのおっしゃる通り、政治資金収支報告書の不記載は政治資金規正法違反です。ところが、これまでは金額が軽微であるという理由から不起訴となるケースが大半でした。しかし、パーティー券の収入のキックバックを裏金化していたとなると、これは所得隠しの脱税です。

政治資金は政治活動に使うから課税の対象にはなりませんが、自分の所得にするとなると、当然確定申告をしなければなりません。

ところが自民党の派閥では、揃いも揃ってパーティー券の収入を正しく記載していなかったことが常態化していた。これは誰がどう見ても大問題です。

百田　自民党はこれまで政権与党として何度も増税を繰り返し、国民の税負担をどんどん重くしてきました。その一方で、自分たちは何百万、何千万円もの脱税を繰り返してきたことになります。国民をバカにしているとしか思えませんよ。

特捜部の前でも罪の意識なし

有本　自民党を擁護する人たちのなかには、「『裏金』といっても五年で六億円ということは年に換算すれば一億二〇〇〇万円。安倍派の所属議員は約一〇〇人だから一人あたり一二〇万円。たいした金額ではない」などと言う人がいるのですが、論外です。一二〇万円でも、一般庶民からしたら大金ですよ。

しかも、逮捕された池田佳隆前衆議院議員が得た裏金は、なんと四八〇〇万円。これが一般企業、特に中小零細《れいさい》企業であれば、数千万円の売り上げを隠すことなどできません。そして当然、そんなことをすれば検挙されます。

百田　ところが国会議員の場合、「あ、うっかりしてました。すみません。修正するからいいでしょ」で許されてしまう。これを「たいした問題ではない」と言う感覚が私には理解できません。

有本　たしかに議員にも個人差があって、全員が全員、数千万円を裏金化して脱税していたわけではありません。しかし、国民に対しては消費税のインボイス制度を導入するなどして懐のなかをどんどんガラス張りにする一方、金額の多寡《たか》は別にしても、大方の議員が収入を隠す行為をしていたことは事実です。

「たいした金額じゃないからいい」「うっかりしていただけなので修正報告した」などという金銭感覚の人たちが、「国民にどれほどの税金を課すか」「財源がないから増税しよう」という政策決定を行っていたわけです。「冗談じゃない!」「ふざけるな!」と、怒って当然です。

関係者に聞いた話では、特捜部が事情聴取をしたときに、議員や関係者にはまったく罪の意識がなかったそうです。自民党のこうした腐りきった体質はもう治らない気がしますね。

百田　過去のケースでは、検察が起訴するかどうかの基準は、不記載額が「一億円」というものでした。起訴するかどうかの判断基準が一億円……こんなことでは到底、国民は納得できないでしょう。一億円って、国民にとってどれくらいの金額か、検察官は分かっているのでしょうか。

メディアと岸田政権の「安倍派潰し」

有本　この問題に対して、河野太郎デジタル行財政改革担当大臣は、二〇二三年一二月一

○日放送の報道番組「日曜報道 THE PRIME」（フジテレビ）に出演した際に、「膿《うみ》を出しきることが大事」だと述べました。ちょうど番組を観ていたのですが、河野氏はまるで他人事《ひとごと》のように語っていました。

彼が所属する麻生派（志公会《しこうかい》）のなかにも、疑惑の議員がいるので他人事ではありません。実際、この放送後に、麻生派が二〇一八年から二〇年に開催した政治資金パーティーの収入三四〇万円を記載していなかったことが発覚しています。

百田　おそらく河野氏自身は「ポッケないない」などしていないと思います。彼は世襲議員で親は大金持ちなので、裏金など必要ないくらいのお金を持っているからです。

ただ、河野氏も三〇年近く自民党に在籍しているので、党内の事情を熟知していたはずです。自民党で慣習的にパーティー券収入のキックバックが行われ、それをポケットに入れている議員がいることも知っていたはずです。

番組では、「国民の政治不信が高まっている」「ルールに基づいて政治資金を取り扱うというのが最低限」などと語っていましたが、「なんで、いま初めて知ったような口を利いてんねん？」と、非常に違和感を覚えました。

有本　まあ白々《しらじら》しいコメントでしたね。ちなみに、同番組のコメンテーターは、弁護士の橋下徹氏が務めています。番組内で橋下氏は「脱税だ」と吠《ほ》えていましたが、氏が創設した日本維新の会は大丈夫なのでしょうか？　党内で集金方法を改めるという声も出ているようですから。

また立憲民主党の安住淳《あずみじゅん》衆議院議員も、二〇二二年度の収支報告書に、三〇万円分のパーティー券を購入した団体の名称と金額を記載していなかったことが明らかになっています。パーティー券で得た収入の収支報告書への不記載は、なにも自民党だけではなく永田町で当たり前のように行われてきたことなのでしょう。

百田　野党も同じようなことをしているのではないでしょうか。東京地検特捜部には、この際、ぜひ野党も徹底的に追及してもらいたい。

加えて、この問題に限らず、メディアの報道も実におかしいですよ。「朝日新聞」などは、安倍派は「裏金」と書き、岸田首相に近い主流派は「不記載」と書き分けているとしか思えません。「安倍」という名前に対するイメージ操作を行っているという印象を受けたのは私だけではないはずです。メディアと岸田政権による「安倍派潰《つぶ》し」と言われる所以《ゆえん》です。

「現職議員の逮捕はない」に違和感

有本　裏金疑惑が浮上してから、一部の識者、それも自民党に近い識者の多くが「バッジを付けている人（現職の国会議員）の逮捕はない」と主張していたことにも違和感を覚えました。「現職議員の逮捕はない」と考える人が多かった理由の一つは、薗浦健太郎《そのうら》衆議院議員（当時）が逮捕されなかったという点にあります。薗浦氏は二〇二二年、自身の政治資金パーティーの収入について、収支報告書に約四〇〇〇万円少なく記載していたことが発覚。罰金一〇〇万円、公民権停止三年の処分を受け失職しましたが、逮捕には至りませんでした。

しかし、今回の裏金問題を受けて私は当初から「現職の国会議員の逮捕はない」との見方に疑義を呈していました。そして、実際に逮捕されたことは周知のとおりです。

百田　同じ清和会に所属する大野泰正参議院議員が逮捕されるという噂も早くからありましたね。彼はのちに五〇〇〇万円を超えるキックバックを受けたとして自民党を離党、在宅起訴されましたが、「やましいことはしていない」などと議員辞職を否定し、いまも参議院議員です（二〇二四年七月現在）。ちなみに大野氏の祖父は衆議院議長などを務めた大野伴睦《ばんぼく》氏で、父親は運輸大臣や労働大臣を務めた大野明氏です。

有本　大野氏と比べると、逮捕された池田氏は捜査に協力的ではなかったといわれています。連絡を絶って雲隠れしたり、あるいは池田氏の秘書が「議員の指示で事務所のパソコンをドライバーなどの工具で壊した」といった報道も見られました。

裏金疑惑が浮上したときに、特捜部は最初に清和会の事務局を管理していたスタッフに聴取を行いました。このスタッフはサラリーマン上がりの人物なので、聴取を受けて怖くなったのでしょう。自分が知っていることをすべて話してしまったそうです。そのため議員のなかには、「秘書上がりの人に事務局を任せていたら、議員をかばってくれたのに……」と嘆く人もいたとされます。

しかし、捜査機関から聴取を受けたならば、真実を洗いざらい話すのが筋です。親分をかばうことが美徳とされるのが永田町なのでしょうか。

何でもかんでも秘書のせい

百田　その一方で何でもかんでも秘書のせいにする議員もいました。

「いやいや、わしなんも知らんかったんですわ。全部、秘書がやりました。悪いのは秘書でんねん」と、すべてを秘書におっかぶせた議員がいましたが、これは永田町では昔から見られた光景です。「わし、何も知りまへんねん」と、もう過去何百回と聞かされてきました。

今回もそのセリフを聞くのではないかと思っていたら、案の定、出ました。「わし、何も知りまへんねん、すべて秘書が知らんところでやったんですわ。わしは悪くないんですわ」と。

しかし、こんなふうに罪を被《かぶ》せられた秘書にも、当然、家族がいます。「お前の親父は、とんでもない悪い奴や」「お前の亭主、何してくれてんねん。こいつのせいで、俺が経産大臣辞めなあかんようになったやないか。参院幹事長辞めなあかんかったんや、どないしてくれんねん！」と、公衆の面前で言われたのと同じです。よく、このような酷《ひど》いことを堂々と言えるなと、心底呆《あき》れます。

実際、秘書がやったかどうか、これは分かりません。ですが、一般的に考えて、雇われた「先生」に内緒で、何百万、あるいは何千万円も秘書が隠せるものなのでしょうか。勇気ある秘書の方には、「俺は何もやってない！　ほんまはこうやで」と、真実を話してもらいたいものです。

その点でいえば、キックバックを受けた四三五五万円を収支報告書に記載しなかったとして、政治資金規正法違反の虚偽記載の罪で略式起訴され議員辞職した谷川弥一氏（長崎三区）は、まだ立派です。その記者会見が、めちゃくちゃ面白かった。

記者から「何があかんかったか、説明してください」と問われた谷川氏は、「え、わしが悪い言うとんねや。あと何を言わなあかんねん」。

「ですから、どこがどう悪かったかの説明を……」

「悪い言うとるやないか。あと何言わなあかんねん。なに？　まだ責めるんかい。まだ言うんかい。これ以上、責任とれと言うんやったら死ぬ以外に方法はないわ。家帰って死んだらええんかい。そこまで言われたら死ぬわ。死ぬ以外ないわ」

「ですが議員、どこが悪かったかを……」

「はいはいはいはいはい、私が悪うございました。え、まだ言うんかい。お前、まだ言うんかいこら！」と逆ギレ（笑）。

有本　この「百田劇場」が文字で伝わるといいのですが（笑）。

百田　清和会にこんなオモロいおっさんがいたのかと思いました。これほど面白い議員なら、もっと国会でがんがん主張すればよかったし、私のニコニコ動画「百田尚樹チャンネ

郵 便 はがき

63円切手を
お貼り
ください

101-0003

東京都千代田区一ツ橋2-4-3
光文恒産ビル2F

(株)飛鳥新社　出版部　読者カード係行

フリガナ ご氏名	性別　男・女 年齢　　　歳

フリガナ
ご住所〒 TEL　　　(　　　　)
お買い上げの書籍タイトル
ご職業　1.会社員　2.公務員　3.学生　4.自営業　5.教員　6.自由業 7.主婦　8.その他 (　　　　　　　　)
お買い上げのショップ名　　　　所在地

★ご記入いただいた個人情報は、弊社出版物の資料目的以外で使用することはありません。

このたびは飛鳥新社の本をお購入いただきありがとうございます。

今後の出版物の参考にさせていただきますので、以下の質問にお答え下さい。ご協力よろしくお願いいたします。

■この本を最初に何でお知りになりましたか

1.新聞広告（　　　　　新聞）
2.webサイトやSNSを見て（サイト名　　　　　　　　　）
3.新聞・雑誌の紹介記事を読んで（紙・誌名　　　　　　　　　）
4.TV・ラジオで　5.書店で実物を見て　6.知人にすすめられて
7.その他（　　　　　　　　　）

■この本をお買い求めになった動機は何ですか

1.テーマに興味があったので　2.タイトルに惹かれて
3.装丁・帯に惹かれて　4.著者に惹かれて
5.広告・書評に惹かれて　6.その他（　　　　　　　　　）

■本書へのご意見・ご感想をお聞かせ下さい

■いまあなたが興味を持たれているテーマや人物をお教え下さい

※あなたのご意見・ご感想を新聞・雑誌広告や小社ホームページ・SNS上で
1.掲載してもよい　2.掲載しては困る　3.匿名ならよい

ル」に出演してもらいたいくらいです。ただ、こういう人たちを束ねていたんだから、安倍氏も大変だったやろうなと思います。

有本　谷川氏は「当選回数を重ねてもなかなか大臣になれなかった」と自身で吐露していましたが、安倍内閣が有史以来、最長の長期政権になったとしても、この人を大臣にするのはちょっと、難しかったかもしれません。

百田　まあ、大臣にはなれないでしょう。大臣が「そこまで言うんやったら、死ぬしかないわ」と逆ギレでもしたら内閣はたまったものではない。

ただ付言すると、谷川氏の会計責任者を務めていたのは娘さんです。「秘書が悪い」とは言えなかったのは、そういう事情だったのです。会計責任者が赤の他人なら、「こいつがやりよった」と言ったかもしれません。

政治家も警察も放置する「日本の闇」

有本　逮捕された池田氏に関しては、日本保守党の小坂英二東京都荒川区議会議員が、「池田氏はパチンコ議員である」との告発を行っています。二〇二三年三月一四日に自身のXで次のようにポストしています。

〈パチンコ関連企業から自民党の支部（代表＝池田よしたか衆議院議員）への三年間の献金総額が四六〇〇万円です！〉

百田　小坂氏は、パチンコが多くのギャンブル中毒者を生み出していること、そしてパチンコ業界から毎年数千億円の資金が北朝鮮に渡っていることを問題視し、以前からパチンコを違法化するべきだと訴えていましたね。

有本　ちなみに、〈三年間の献金総額が四六〇〇万円〉という金額は、池田氏の政治資金収支報告書に記載されています。池田氏は株式会社大一《だいいち》など、複数のパチンコ企業から献金を受けています。

その池田氏が代表を務める自民党愛知県第三選挙区支部の二〇二一年度の個人・法人その他団体からの寄付金の総額は、一年間で三九五五万円に上ります。そのうち二二〇〇万円がパチンコ関連企業からの献金で、全体の五五・七パーセントを占めます。

もちろん、パチンコ企業から献金を受けることは違法ではありません。しかし、小坂議員が指摘する問題点などを含め、国会議員としてははたして適切かどうか、大いに疑問を抱かざるを得ません。

百田　はっきり申し上げて、私はパチンコが大嫌いです。前述した通り、パチンコはたくさんのギャンブル中毒者を生んでいます。パチンコを止《や》められず、借金がどんどん膨らみ、家庭や仕事を失った人が山ほどいます。これは「パチンコ依存症」のせいです。そしてパチンコ店がこれらの病気を作り出しています。

そんなパチンコ店が全国津々浦々《つつうらうら》にあるのも問題です。他国でギャンブルをするなら、カジノに行かなくてはなりません。日本でも、競馬や競輪は、いつでもどこでも開催されているわけではありません。ところがパチンコは、どの駅前や商店街にもほぼあり、朝から晩まで営業しています。ギャンブル場が生活圏のどこにでもある国など、日本ぐらいです。駅前や住宅地に普通にあるのですから。

それから「三店方式《さんてん》」がまかり通っているのも実におかしい。パチンコ店では出玉に応じて景品を渡します。それを景品交換所に持っていくと、現金と交換してもらえる。つまり、パチンコ店は景品を渡しているだけなので、賭博《とばく》には該当しないというわけです。こんな誰がどう考えてもおかしい欺瞞《ぎまん》が放置され続けているのです。

本来なら、政治家や警察が厳しく取り締まるべきです。ところが池田氏を見れば分かるように、多くの議員がパチンコ業界から献金を受けている。また、警察もパチンコ業界から恩恵を受けており、警察ＯＢがパチンコ会社の顧問を務めているケースも多い。そのため、パチンコの問題点が分かっていても、見て見ぬふりをしている、というのが現状です。

有本　「日本の闇」と言っても過言ではありません。

自民党の支部のなかには、パチンコ企業の献金がなければ運営が成り立たないといわれる支部もあります。そんな状態で日本の政治が良くなるはずがありません。

百田　「金の問題よりも政策で評価すべきだ」という声を、よく耳にします。ですが金に汚い議員が政治と真摯《しんし》に向き合うことなど、絶対にありません。

有本　議員は、献金やパーティー券の購入を通じて支援してくれる企業や団体にとって不都合な政策は、実行できませんからね。

百田　パチンコ企業から献金を受けている池田氏や、後述するように中国人団体にパーティー券を売っている自民党宏池会の議員が、まともな政治などできるわけがないのです。

有本　池田氏は、かつては保守派の有権者から期待された議員でした。自民党が与党に返り咲いた二〇一二年一二月の衆院選で初当選したいわば「安倍チルドレン」です。

百田　初当選当時は高い志《こころざし》を持っていたのに、議員になってから甘い汁を吸って腐っていったのか、それとも、もともと口先だけの人物だったのか……池田氏に何があったのかは分かりませんが、ろくでもないクソ議員であることは確かです。

永田町で「雰囲気を出せ」と言われたら

有本　現名古屋市長で日本保守党の共同代表を務める河村たかし氏は、政界に身を置いて約三〇年になります。実は今回の自民党の政治資金パーティー券をめぐる裏金疑惑が浮上する以前から、「自民党と裏金は日本人と日本語みたいな関係だ」と話していました。つまり切っても切れない関係だということです。

これは自民党議員に限らず、政治の世界では、よく「もうちょっと『雰囲気』を出してくれなきゃ」というのだそうです。

百田　河村氏が話してくれた、この「雰囲気」の話は衝撃的でした。

政治を志《こころざ》し、自民党から出馬したいと考えている人がいたとします。その人は自民党の公認をもらうために、地元の県議会議員や市議会議員に「自民党の公認をください」と頭を下げるわけです。すると県議や市議は「もうちょっと『雰囲気』を出してくれないと」とか、「あなたを推すという『雰囲気』がまだ出ていないのだよね」などと言うのだそうです。

この「雰囲気」とは隠語で、要はお金を要求しているのです。「お金をくれ」とは言いづらいので、「雰囲気」とぼかした言い方をするのだといいます。

有本　党本部や幹事長は、全国の各選挙区で誰に公認を与えたらいいのか詳細まではなかなか把握できません。だから多くが各支部が推す人物を公認候補にするわけです。つまり地方議員の支持がなければ、公認をもらいづらくなる……県議や市議はそれを知ったうえで「雰囲気」を要求するわけですね。

百田　ただ、政治を志す人間は、お金を持っている人ばかりではありません。すると「わしも本当は応援したいんやけどな、あんたは『雰囲気』が足らんのや」と言われておしまいです。各選挙区が世襲議員で占められていたり、お金を要求されたりと、自民党の公認を得て政界入りするのは極めて難しいのが現状です。

有本　日本保守党を結党する前、河村氏に共同代表になってもらえないかと考えた私たちは、二〇二三年九月に名古屋で面会しました。その席でも氏は「自民党と裏金」の話をしていました。百田さんが「裏金政治を一掃しなくてはなりませんね」と言ったら、「一掃したら国会議員も地方議員も半分以上いなくなってしまう……」と嘆《なげ》いていたことを覚えています。

百田　本当に酷い話です。河村市長の話を聞いた時は「それほどまでに日本の政治は裏金に汚染されているのか」と、頭がくらくらしました。

「政治にお金がかかる」選挙制度を変えるべき

有本　日本では一九九四年に政党助成法が成立、翌九五年に施行されました。国民一人当たり二五〇円を負担して、各政党に毎年、政党助成金が支給されるようになりました。企業から政治家に賄賂《わいろ》が贈られることを防止するのが目的です。

これまでに交付された各党への政党助成金の総額は、九一九六億二四〇〇万円にも上ります。そして二〇二四年、自民党には一六〇億五三〇〇万円が支給されています。

国会で政党助成法が審議されていた一九九四年当時、「政党助成金制度を設ければ政治はクリーンになる」という主張が目立ち、メディアもそれに賛同しました。しかし、その後も政治はまったくクリーンにはならず、現在に至るまで、収賄《しゅうわい》事件がたびたび起きています。「政治にはお金がかかる」という言葉をよく耳にします。実際、議員たちは資金集めに奔走しています。しかし、こうした考えは日本保守党が打ち破らなくてはならないと考えています。

たしかに世の中にはお金がなければ動かせないこともあります。しかし、自民党議員の言う「政治にはお金がかかる」という主張には、筋違いな面が多々あるように思います。

遊興費にも多額のお金を使っているわけですから。

百田　遊興費ならまだマシです。議員によっては、次の選挙で応援してもらうために地元の県議や市議にお金を配っているといいます。当選させてもらうためにお金を配るということは、当選させてもらったお礼にお金を配っている議員もいると考えられます。そうしたときに裏金が使われていたとしたら、とんでもない話です。

国会議員に限らず、地方議員らが言う「政治にお金がかかる」とは、要は「自分が政治家でいるためにお金がかかる」ということなのです。政治家の意識はもちろん、選挙制度も変える必要があるかもしれません。

もはや笑うしかない政治資金パーティー中止

有本　地方議員の話が出たので、こちらのニュースを取り上げます。

「読売新聞」（二〇二三年一二月一八日付）は、次のように報じています。

〈自民党派閥の政治資金パーティー収入をめぐる疑惑が（二〇二三年）一一月下旬に浮上して以降、同党の地方組織で、政治資金収支報告書を訂正する動きが相次いでいる。いずれも「事務的なミス」などと釈明するが、「清和政策研究会」（安倍派）と同様、パーティー

収入のキックバック（還流）を記載していないケースもあった〉
　また同記事によると、〈（自民党岐阜県連は）二〇二〇年と二二年の収支報告書に、二回のパーティーで計約二億九〇〇〇万円の収入があり、その約半分を三六支部に交付したと記載していた。だが、「自民党岐阜市支部」など少なくとも五支部がその収入の全部または一部を記載していなかったことが発覚。岐阜市支部の不記載額は二年分で二二七五万円に上った〉
　これなども単に収支報告書を訂正して済む話でしょうか。

百田　コンビニでお菓子を手に取って、レジで会計せずに店を出たら、これは万引きです。店員に取り押さえられて、「すみません！　会計するのを忘れていましたわ」と釈明したところで、万引きは万引き。先ほどの国会議員の「すみません。忘れとったので修正します。修正したからええでしょ」もそうですが、岐阜県連の五つの支部もこれと同じことをやったわけです。

　もはや笑うしかなかったのは、岸田首相が自身の政治資金パーティーを中止にして、派閥パーティーや忘年会、あるいは新年会の自粛を申し合わせたことです。これはたとえるなら、仲間がコンビニで捕まったあと、「コンビニに行くのを止めようぜ」と呼びかけるようなものです。
言うまでもなく問題は万引きすることなのであって、コンビニに行くのは一向に構いません。それを自ら「自分たちのパーティーに問題がある」という前提で話をしているのです。「語るに落ちる」とはこのことでしょう。

有本　玉田和浩岐阜県議会議員が代表を務める自民党の岐阜市支部は、二二七五万円の還付金のうち一七〇〇万円あまりが不記載。また、恩田佳幸《おんだよしゆき》県議会議員が代表を務める岐阜県の山県《やまがた》市支部は、三三八万円の還付金のうち二五〇万円あまりが不記載でした。

百田　「うっかり」が許されるなら、（高額納税者の）私も、税務署への申告を「うっかり」したいですわ。一般人がこんなことをやったら逮捕されるのに、国会議員や地方議員なら「忘れていました」で通る。こんなことが許されてきたことが許せません。やはり国民をバカにしているとしか思えない。

有本　民間人の場合は、今どき収入は隠せませんからね。収入は銀行口座に振り込まれるし、店を経営している場合ならレジがあるので、売上をごまかすことのできない仕組みになっています。つまり、やりたい放題なのは議員だけなのです。自分たちの収入をごまかす連中に、法律や税制を作ってもらいたくありません。

百田　果たしてうっかりしていたのは岐阜県の支部だけなのでしょうか。残りの四六都道府県でも、同様のことが行われている可能性があると見るほうが普通です。

政治資金に隠されたチャイナマネー

有本　問題は裏金化だけではありません。派閥や議員個人の政治資金パーティーが行われるたびに、議員はパーティー券を売り捌くわけですが、そのパーティー券の売り方にも問題があります。各議員が個々に売り捌いているため、誰にどれだけ売ったのか分かりづらくなっているのです。

派閥や議員に対して資金援助するために、企業や支援者はパーティー券を購入します。だからといって、必ずしもパーティー会場に来るわけではありません。「パーティー券を買うことに意味がある」わけです。

百田　だからキャパが五〇〇人の会場でパーティーを開催する場合に、パーティー券を一〇〇〇枚売ることも可能だし、実際にキャパ以上のパーティー券を売り捌いているわけですね。

そして議員は、有力者であればあるほど、大量のパーティー券を売って儲けています。

ちなみに二〇二二年の清和会所属議員の政治資金パーティーで、最も高い収益を上げたのは、衆議院議員の西村康稔氏でした。その額は一億三四八三万円に上っています。

有本　そのお金を自身の政治活動で有益に使ってくれるなら、何も問題はありません。ただ、自民党議員が胸を張って語る「政治活動」は、先ほども百田さんが指摘したようにその大半が自分が次の選挙で勝つための「延命活動」です。だから「私の選挙区は広い」などと言って多くの事務所を作りますが、それは選挙民の声を吸い上げるのではなく、自分の存在感を示すためのことなのです。

また、政治資金パーティーに関連して危惧《きぐ》しているのは、外国人もパーティー券を購入できるという点です。たとえば二〇二三年一二月まで岸田首相が会長を務めていた宏池会のパーティーには、一般社団法人日中一帯一路促進会の会長・黄実《ホアンシー》氏など、在日中国人団体のメンバーが多数出席しています。

政治資金規正法で外国人の政治献金は禁止されていますが、パーティー券の購入に国籍は問われない。パーティー券は議員を支援するために購入するものですから、パーティー券の購入は政治献金に等しいものです。つまり宏池会は、中国人の支援を受けているといっても過言ではありません。

そんな派閥に所属する議員が、はたして日本の領土・領海を狙う中国に対し、まともに向き合えるでしょうか。甚《はなは》だ疑問です。日本国籍を有する者にしかパーティー券を購入できないよう、ただちに法改正をする必要があるのですが、遅々として進みません。

百田　岸田首相は二〇二二年だけで実に七回も政治資金パーティーを開催しています。売り上げが一億五五一〇万円、利益は一億三六〇九万円にものぼっています。利益率は八八%。これを岸田首相は「勉強会だ。何も問題ない」と開き直っています。そんなにパーティーで荒稼ぎするなら、政党助成金は要らないでしょう。

岸田首相の唯一の「長所」が鈍感力だと言われていますが、彼の鈍感力は我々の思っている以上の凄《すご》いものです。普通の感覚を持った人間なら、ここまで堂々とは開き直れません。江戸時代の武士は「恥」を重んじましたが、今の政治家は「恥」の気持ちを失った。カエルの面《つら》にションベンですね。

派閥解散の欺瞞

有本　裏金問題を受けて、派閥政治に対する風当たりの強さに抗《あらが》えず、岸田首相は突然、宏池会の解散を独断で決めました。

自民党は党内に岸田首相をトップとする政治刷新本部を設置し、派閥の改革などについて検討を続け、一月二三日の会合で「中間とりまとめ案」を策定するとともに、岸田首相は改めて宏池会の解散について言及したのです。

「産経新聞」（二〇二四年一月二三日付）は次のように報じています。

〈岸田文雄首相が会長を務めた自民党岸田派（宏池会）は（二〇二四年一月）二三日、東京都内で開いた臨時の派閥会合で解散を決め、六六年の歴史に幕を下ろすこととなった。同派を離脱した首相や座長を務める林芳正官房長官は会合を欠席した。所属議員から解散に異論は出なかった。

会合の冒頭で「政治の信頼回復を図る観点から、大変重い決断になるが、けじめをつける意味で宏池会を解散する。ご理解いただきたい」という林氏のメッセージが代読された〉

第一章で百田さんが指摘されたように岸田首相は首相就任以降も自派閥の会長にとどまっていましたが、二〇二三年一二月に突然、宏池会を退会しています。検察の手が宏池会に及ぶことを察して、自ら会長を辞任したとの見方もあります。

百田　タイミングからしてそう思うのが普通ですね。

有本　その後、宏池会の解散に言及したわけで、これには多くの議員がシラけました。すでに宏池会を退会したのだから、宏池会の将来について言及する権利などないはずなのですから。

百田　形式上の退会をしただけで、実際にはまだ宏池会の一員であり、あるいは事実上の会長であることがバレバレ……おかしな話です。たとえば暴力団の組長が「わしはもうカタギになる」といって辞めたのに、しばらくして事務所にやってきて「今日で組は解散や」などと言ったところで、それに従う人などいません。

そもそも派閥を解散する理由が分かりません。やましいことがないなら、解散する必要などないはずです。

岸田首相の行動を見ていると単に「派閥政治はダメだ」「国民の派閥政治に対する不信が」といったメディア報道の風に流されて、その場しのぎの「受けのいいこと」をやっているだけにしか見えません。一事が万事、芯がないのでどんどん「風」に流されてしまっている。

派閥政治の本当の弊害

有本　二四年一月二三日に行われた派閥会合では、岸田首相の隣に座っていた麻生太郎自民党副総裁が憮然《ぶぜん》とした表情を浮かべていたのが印象的でした。岸田首相の判断に納得していなかったのでしょう。

百田　一つの理念、もしくは一人の人物のもとで協力しようと集まっていただけなのに、急に「解散だ」と言われたら、「なんで？」と疑問を抱くはずです。

人間の本性として、三人集まれば、すぐに派閥が生まれます。会社にも派閥はあります。部長が二人いたら、部下たちは「A部長に付いていこうかな、B部長に付いていこうかな」と考えるわけですよ。もしA部長が昇進したら、B部長の下にいる部下たちは冷や飯を食わされることになります。

自民党の派閥もそれと同じです。自民党には、昔から派閥がいくつもあります。六六年の歴史を誇る宏池会からは、これまで五人の首相が誕生しています。そうすると「宏池会に入って数年雑巾《ぞうきん》がけすれば、自分も政務官になれるかもしれない。さらに頑張れば、いずれ大臣に……総理に……」などと考えて派閥に入会する人が多いのではないでしょうか。そして、派閥同士が反目《はんもく》し合う。これでは党のなかにいくつも党があるようなものです。

派閥政治の弊害を言うのであれば、これこそが弊害だと思います。本来であれば、周りの人から「あの人はいずれ大物になるだろう」と評価されて、自然発生的にその人物の周りに人が集まってきてできるのが、あるべき派閥の姿です。

有本　それと自民党の派閥が問題なのは、お金でつながっていたという点です。自民党議員はよく「派閥は政策集団」と言いますが、実際にはお金とポストをもらうためのものでしょう。

百田　そうした問題点を直視せず、単にマスコミがうるさいから派閥は解散する——アホかと言いたい。

岸田首相はとにかくメディアから叩かれるのを極度に恐れます。メディアから叩かれないように、批判されないようにと、それしか考えていない。だから「増税メガネ」などという呼称をもらうと無理に減税しようとする。この繰り返しなのです。ポピュリズムともいえる所作ですが、安倍元総理のように目指す国家像もなく、とにかく「首相になって人事がやりたかった」だけの人物なのですから、どうしようもありません。

有本　結局、清和会（安倍派）、志帥会（二階派）も解散が決まり、平成研究会（茂木《もてぎ》派）は派閥としては解消するものの、今後も政策集団として存続するとしています。

一方、志公会（麻生派）は解散しない。岸田氏は自民党総裁なので、百歩譲って所属議員に派閥の解散を指示する権利があるというなら、宏池会だけでなく茂木氏や麻生氏にも派閥を解散させなくてはなりません。

百田　岸田氏が派閥の解散を決めるのは、気の合う議員同士が統合して集まっていることに対して、「お前らは仲良くしたらあかん！」と言っているようなものです。今後は気の合う議員同士で会合を開くのも、グループを作ってやり取りするのも禁止にするつもりだったのでしょうか。まさに岸田独裁政権であり、それに唯々諾々《いいだくだく》と従っている自民党の連中も何なんだと呆れます。

いまの自民党は、やることなすことが滅茶苦茶です。野党は論外ですが、与党もどうしようもない体《てい》たらく。政治不信が高まるのも当然です。

次章ではその政治不信を招いた面々についてさらに見ていきたいと思います。まあこれでもかというぐらいとんでもない人たちが続々と登場します。もううんざりされている読者の方もおられるかもしれませんが、もう少しお付き合いください。

第五章　政治不信を招いた「犯人」

元東ドイツ秘密警察幹部が明かした醜聞

百田　「政治不信の高まり」ということが頻《しき》りに言われていますが、そりゃそうなりますよ。ろくでもない議員が多すぎますから。

有本　そんななかでおなじみの調査結果を紹介します。

〈読売新聞社が二〇二四年三月二二〜二四日に行った全国世論調査で、次の自民党総裁にふさわしい政治家は、石破茂・元幹事長が二二％で一位となり、小泉進次郎・元環境相が一五％で二位だった。同じ質問をした前回二月調査で四位だった上川《かみかわ》外相が九％で、三位に入った。河野デジタル相は八％で四位だった〉（「読売新聞」二〇二四年三月二五日付）

この結果を見ると、日本の病状は重症なのではないかと感じます。

百田　この手のリサーチをすると、いつも「小石河」の三人、すなわち小泉氏、石破氏、河野氏が上位を占めます。いまはそこに上川陽子外務大臣が食い込んできていますが、やはり石破氏の人気は根強い。

岸田首相の得意技は「検討します」ですが、石破氏の得意技は「考えます」です。ただ、いつも考えてばかりで、答えは一つも出てきません。氏が防衛大臣だった頃、自衛官からの評判は散々だったと関係者から聞いています。

また、『週刊現代』二〇〇八年三月一五日号で、一九九二年に金丸《かねまる》訪朝団の一員として北朝鮮を訪れた際に、石破氏が現地で女性をおねだりしたと書かれています。これが事実なら、石破氏はとんでもない人物です。

有本　その話は、元東ドイツの秘密警察幹部が明らかにしたものですね。報道を受けても石破氏は『週刊現代』を訴えていないので、記事は事実だったと受け取られても仕方がありません。

余談ですが、新党「教育無償化を実現する会」の前原誠司氏にも、北朝鮮美女によるハニートラップ疑惑がありますね。『週刊文春』二〇一七年九月二一日号では、北朝鮮の妙《ミョ》香山《ヒャンサン》で女性と撮った写真が公開されています。

百田　「後ろから前原」などと茶化《ちゃか》された件ですね。一九九九年に極秘訪朝した際の写真だそうですが、女性の後ろから下半身で突っつくようなポーズの写真まで公開された。あれは恥ずかしい！　女性が何者なのかは分かりませんが、かなり親密な様子でした。

有本　北朝鮮という恐ろしい独裁国家で、あのように仲睦《なかむつ》まじく若い女性と写真を撮るという無防備さに呆《あき》れます。そんな人が外務大臣や国土交通大臣などを歴任し、民主党代表も務め、二〇二三年には国民民主党の代表選に出馬し、その後、新党「教育無償化を実現する会」を立ち上げ、いまでも国会議員を務められているのです。

百田　自民党の松下新平参議院議員に関する次のニュースも非常に深刻です。

「産経新聞」（二〇二四年二月二八日付）によりますと〈中国が日本国内の中国人を監視するために設けた「海外警察」の拠点だとして、令和四年に海外の人権団体に指摘された一般社団法人で幹部を務めた中国籍の女性（四四）が、元年秋から少なくとも三年まで、自民党の松下新平参院議員（宮崎選挙区）の事務所に「外交顧問兼外交秘書」として出入りしていたことが二八日、関係者への取材や訴訟資料で分かった。事務所は女性について「関係ない」としたが詳しい経緯は説明していない。警視庁公安部は昨年五月、詐欺容疑で東京・秋葉原《あきはばら》のビルに入っていた一般社団法人「日本福州十邑社団聯合総会《ふくしゆうじゆういしやだんれんごう》」を家宅捜索。二年七月、経営していた長野県の風俗店を整体院と称し、新型コロナウイルス対策の持続化給付金百万円を詐取したとして、女性を今月二一日に書類送検した〉

この中国籍の女は衆参の議員会館のみならず国会、官邸にも堂々と出入りしていたとされています。そこでいったい何をしていたのか。どのような経緯で松下議員と接点をもったのか。ちなみに、松下議員をネット検索すると若い女性とのツーショット写真が何枚も出てきます。「ハニートラップ」という言葉が思い浮かぶのは私だけではないはずです。

日本国内に張り巡らされた〝赤いネットワーク〟

有本　おそらく補助金詐欺は「糸口」に過ぎないでしょう。大きく報じられてはいませんが、近年、コロナ補助金の詐取を緒《しょ》として、公安が特定国と強い関係を持つ人々を取り調べる事案は複数あります。特に中国、北朝鮮のいわゆるスパイ活動を炙《あぶ》り出す捜査に、現場担当者は従来以上に注力しています。「諜報《ちょうほう》機関の未整備」がよく指摘されますが、実は日本のインテリジェンス関係者の捜査能力は非常に高い。

私が具体的事例を知るのは、中国の民族問題に関する数年前の件ですが、日本のインテリジェンス関係者が米国当局者も驚くほどの情報を取っていたと確かな筋から聞きました。ただし、その貴重な情報を活用する術《すべ》が我が国にはなく、米国に提供するしかなかったという情けない現状についても併せて聞いています。

「諜報機関の再編、拡充」。この活動をバックアップするための法整備が急務であることは、これまでも口を酸《す》っぱくして言ってきましたが、今の永田町にこれへの熱心な動きは見られません。

日本国内に張り巡らされ、日々増幅されている中国や北朝鮮の〝赤いネットワーク〟。日本保守党が、これらを切り裂く「青い雷鳴」たらんと思っています。

百田　本当に今の日本には与党も野党もろくな国会議員がいません。マネトラ、ハニトラにやられている議員がうじゃうじゃいるのではないか。

そもそも、石破氏、河野氏、小泉氏をいったい誰が支持しているのか。こんな名前を挙げる国民も国民ですが、それだけ有能な議員がいないという証左でしょう。

国会議員がリア充を自慢してどうする

有本　自民党が与党に返り咲いて一〇年以上が経つと、自民党は慢心しているようにも見えます。自民党女性局のフランス研修をめぐる騒動もその一例だったのではないでしょうか。

百田　女性局は二〇二三年七月二四日〜二八日にフランス・パリで研修会を行いました。女性局長の松川るい参議院議員は、二七日、自身のXで研修の様子を写真つきで紹介しました。以下は松川氏のポストです。

〈#自民党女性局フランス研修にきています。三才からの幼児教育の義務教育化、少子化対策、政治における女性活躍などの課題について、仏国会議員や行政担当者と意見交換させて頂き大変有意義でした。なんと上院はリュクサンブール宮殿（写真は上院議員との意見交換）それにパリの街の美しいこと！〉

そして、エッフェル塔の前で浮かれたポーズで撮影したあの写真が大炎上。ネット上に批判の声が溢《あふ》れました。

有本　帰国後の二〇二三年八月一日、松川氏は自民党本部で記者団に対し、「SNS上の発信に不適切なものがあったと思っており、誤解を与えたことについて反省している。ご迷惑をおかけしてしまった皆様に申し訳ない」と陳謝しました。一方で、「研修自体は有意義だった。フランスでの三歳からの幼児教育の義務教育化についての経緯や成果を詳しく伺うことができ、政治における女性活躍について上院や下院の方々と有意義な意見交換ができた」などと述べています。

この投稿に対し、「国民は妬《ねた》んでいるだけだ」と擁護する声もありますが、それは違います。多くの国民には、「自民党は何をやっているのだ」という強い不満があるのです。

百田　絶望的なまでの政治センスのなさです。

有本　批判を受けたあとの松川氏の対応にも問題がありました。「誤解を招いた」と言って謝罪するだけで良かったのに、報道陣の取材に対して「研修自体は有意義だったと思う」「有意義な意見交換ができた」などと述べています。そもそも有意義でない研修など、国民の税金を使って行くこと自体が間違っているのですから。

そんな疑惑を晴らすためか、二〇二三年七月三一日には自身のXで、〈費用は党費と各参加者の自腹で捻出《ねんしゅつ》しています〉とポストしています。こうした説明からは、「私たちはこんなにも立派な研修を行ってきたのですよ、それの何がいけないのですか」というメッセージを感じてしまいます。

〈費用は党費と各参加者の自腹〉と言いますが、自民党には約一五九億円の政党交付金が支給されていました。茂木敏充《もてぎとしみつ》自民党幹事長は二〇二三年八月一日の記者会見で、「自己負担分と党の負担分によって賄《まかな》われている。党の負担分については、政党助成金（交付金）は使っていない」と語っています。つまり自民党員から徴収した党費や寄付で賄ったというわけです。

自民党では、政党交付金と党費・寄付とでは、銀行口座を分けて管理しているのかもしれません。ただ、自民党の活動費の六割は政党交付金なのですから、どのお金を研修費に回したかは問題ではないのです。

誰も「フランスでエッフェル塔を見るな」「二四時間仕事をしろ」などと言っているわけではありません。ただ、この三〇年間、国民の所得はまったく上がらず、女性局がフランスを視察した七月末には、電気代の高騰を理由に冷房の使用を控えていた国民もいたはずです。そんな厳しい状況にあるにもかかわらず、議員はフランスで浮かれていました。こんなところで「リア充アピール」してどうするんですか、という話なのです。政治的センスのない議員たちに、国民はうんざりしたわけです。

「移民七〇〇万人」フランスの危機的状況

百田　その浮世離れした女性議員たちは一体、フランスで何を勉強してきたのでしょうか？　そもそもこの時期はヨーロッパはバカンスシーズンだから、向こうの多くの関係者は不在だという話も聞かれましたね。ネットでは「夏休みの絵日記旅行かよ」とバカにされていました。

有本　女性局のフランス研修には地方議員もたくさん参加しましたが、どれだけの議員がフランスの教育や移民社会の現状を理解したうえで視察したのか、甚《はなは》だ疑問です。

フランスの国立統計経済研究所（ＩＮＳＥＥ）が発表したデータによれば、総人口に占める移民の割合は一〇・三パーセント、約七〇〇〇万人にのぼるとされています。その結果、治安は悪化し、教育水準は低下するなど、問題が噴出しています。

日本政府は現在、外国人労働者の受け入れを推進していますが、本当に受け入れていいのか、フランスの危機的状況から学んで警鐘《けいしょう》を鳴らすべきでした。国会議員が「パリの街の美しいこと！」などと言っている場合ではないのです。

百田　実際に日本でも、二〇二三年以降、埼玉県川口市のクルド人問題が全国に知られるようになりました。トルコ政府のパスポートを携《たずさ》え、観光ビザで来日したあとに、「政府に弾圧されている」と主張して難民申請を行い、却下されても何回も申請を繰り返しながら、日本に住み続けるクルド人がいるのです。

こうした人たちは、そもそも住民登録をしていないので、正確な数はつかめていませんが、いま川口市周辺には約二〇〇〇人のクルド人が住むとされています。するとゴミ問題や騒音問題、クルマの暴走行為、治安の悪化などが表面化しています。川口市長はNHKの番組で、「入国管理は自治体では実施できないので政府の施策が必要だ」と訴えていました（二〇二四年二月二日「埼玉・川口市がクルド人めぐり国に異例の訴え　なぜ？ 現場で何が？」）。

女性大臣が求められる時代の「忠誠誓い合戦」

有本　国民の政治不信が高まるなか、二〇二三年九月二九日、自民党は女性局長を辞任したばかりの松川るい氏を、副幹事長に起用することを明らかにしました。

百田　これまた国民感情を逆撫《さかな》でする、政治センスの欠片《かけら》もない人事でしたね。

有本　副幹事長について簡単に説明すると、自民党のトップは総裁です。が、自民党は政権与党なので、総裁は総理として国の舵取《かじと》りをしています。そのため党内のことは幹事長が仕切る。予算も幹事長が握っています。

国政選挙や知事選などが行われる際には、選挙対策委員長が候補者の調整などに中心的な役割を担《にな》います。しかし、その際にも幹事長の意向が反映されます。そして、幹事長が「この選挙区の候補者は絶対に落選させられない」と判断したら、多額の資金が投入されるのです。

幹事長の下には幹事長代行、幹事長代理、副幹事長がいます。この三つの役職のなかで序列が高いのは幹事長代行で、主に幹事長の補佐を担います。この代行は一人のみで、番記者も付きます。本書の執筆時には梶山弘志《ひろし》衆議院議員が務めていました。

そして松川氏が就いた副幹事長の職は二一人おり、福田達夫氏（筆頭）、鈴木貴子氏、牧島かれん氏らが務めていますが、その名前を見ていくと、なかには山田宏氏などもいますが、やはりリベラル派ばかりが目立ちます。いまの自民党では、リベラル派のほうが出世するとしたら、今後はますます左傾化が進むでしょう。

百田 第三章で述べたように自民党自体がリベラル政党ですから、そうなるでしょうね。しかし副幹事長に就任しても、二一人もいたら、大した活躍はできないでしょう。

有本 ただ、幹事長に会うことはできます。つまり自民党の中枢部に出入りすることができるので、そこに一種の権力が生まれます。

百田 有本さんが言われた通り、自民党の幹事長には選挙の公認権もあります。次の国政選挙で自民党から公認をもらいたいと考えている人のなかには、地元の支部や県議会議員・市議会議員ではなく、幹事長に直訴する人もいます。ただ、そう簡単に幹事長には会えない……そこで、まずは副幹事長と関係を築いて公認を得ようと考えるわけですね。

有本 現職の議員の大半は、比例で当選した人を除けば、不祥事を起こさない限り、次の選挙でも公認されます。ただ、それだけでは飽き足らず、やはり党内でも出世したい。自民党は与党なので、党内で偉くなれば、政務官や副大臣にもなれます。特に、まだまだ女性議員は少ないので、女性というだけで出世は早い。女性の大臣が求められる時代になりましたので、女性議員のあいだでは、これから「忠誠誓い合戦」が始まるでしょう。

百田　本当にアホらしいですね。国家国民のことなどそっちのけ。立憲民主党をはじめ野党は十割クズですが、自民党ももう九割以上がクズです。

女性議員たちの涙は自分のため？

有本　自民党の女性議員のホープと目《もく》されている小渕《おぶち》優子氏は、二〇二三年九月一三日、選挙対策委員長に就任するに当たって党本部で記者会見を開き、過去の政治資金問題について語りました……まるで自らが被害者であるかのように。同日、「産経新聞」は、次のように報じています。

〈過去の政治資金問題について「改めて心からおわびを申し上げたい」と頭を下げた。涙をこらえながら、「あの時に起こったことは心に反省を持ち、忘れることのない傷として、歩みを進めたい」と語った。

自身の説明責任については「（過去に）会見ですべての質問に答え、地元で二年以上かけて誠意をもって説明した。十分に伝わっていない部分があれば、私の不徳の致すところ

だ」と述べ、言葉を詰まらせた〉(二〇二三年九月一三日付)

二〇一四年、小渕優子後援会など四つの政治団体の不透明な収支が明らかになり、小渕氏は経産大臣を辞任しました。また、秘書二名は政治資金規正法違反の罪で有罪判決を受けています。

百田　小渕氏の「あの時に起こったことは心に反省を持ち、忘れることのない傷として、歩みを進めたい」というコメントからは、いったい何を反省したのかが伝わってきません。二〇一四年の政治資金規正法違反に関しては、管理をすべて人に任せていたから、自分は何も分からなかったという姿勢でいます。議員連中が得意とする「わしはなんも知らんかったんですわ」ですね。そんな言い訳が通ると思っていること自体がおかしいですよ。

有本　日本保守党の小坂英二東京都荒川区議会議員は、「あさ8」で次のように述べています。

「小渕氏は、二〇一三年一二月に超党派の日中友好議員連盟訪中団の団長として中国・北京を訪問しました。そうして副首相の劉延東《りゅうえんとう》氏と会談する予定だったのですが、同時期に安倍総理が靖國神社を参拝したことを理由に、中国側が会談をキャンセルしてきました。

これを受けて小渕氏は、『中国国民の感情が決して穏やかではないことに一定の理解はしていかないといけない』と述べたのです。この発言を聞いて、『小渕氏は政治家として、どんな優先順位のもとに活動をしているのだろうか？』と疑問を抱きました。

日本のために命を捧げられた方々に敬意と感謝の念を持つのは当たり前のことであり、靖國参拝は、総理大臣としては当たり前の行動です」

小渕氏の中国での発言は、「中国がキャンセルしたのは、安倍総理が不用意に靖國に行ったからだ」と言わんばかりのものでした。

会談がキャンセルになったときに、「中国国内で文句を言ったら事を荒立てることになる」という配慮があったのかもしれません。ただ、「安倍総理の靖國参拝を理由に会談をキャンセルした中国は間違っている」と言うべきでした。

また、小渕氏の選対委員長就任の会見で理解できなかったのは、涙ぐんでいたことです。人間だから感情が高ぶって泣いてしまうことがあるかもしれません。しかし、涙を流す理由に問題があります。小渕氏は自分のために泣いていたからです。

これはLGBT法をめぐって安倍氏に窘《たしな》められた際に泣きついた稲田朋美氏も同じです。彼女たちは国家国民のために泣いたわけではありません。

女性のなかには、自分の思うようにならないことがあると泣き落とそうとする人がいます。ですが、「涙まで流したのだから許してやろう」という考えは改めるべきです。

昨今、一部に「小渕氏を初の女性首相に」という声が高まっているやに聞きますが、小渕氏は親中派であり、財務省の覚えがめでたい議員でアベノミクスにも否定的でした。このような人物が首相になるのは、間違いなく、日本の国益を害すると申し上げておきます。

国会議員は警察捜査を止められるのか

百田　話はガラリと変わるのですが、これも政権与党の有力者をめぐって見過ごせない出来事です。『週刊文春』が二〇二三年にスクープした、当時の官房副長官・木原誠二氏の妻にまつわる事件についてです。「あさ8」ではこのようなニュースも扱っていきます。

簡単に経緯を振り返ります。二〇〇六年、彼女の当時の夫・安田種雄氏の遺体が自宅で見つかりました。このケースでは警視庁は自殺として処理しましたが、死亡当時から不審な点が多く、二〇一八年四月には再捜査が始まりました。

同年一〇月に警視庁は、木原氏の妻に任意同行を求めました。また、この女性の三重県の実家や東京・南大塚の別宅を家宅捜査。一〇月上旬には事情聴取も始まりました。ところが一〇月下旬に事情聴取は打ち切られ、翌年五月に捜査も突然打ち切られたのです。

この事情聴取の打ち切りには、自民党の木原誠二氏が絡《から》んでいるのではないかという疑いが『週刊文春』の取材によって浮上しました。

『週刊文春』は、まず二〇二三年七月一三日号で不審死事件に関連した木原氏の疑惑をスクープすると、八月三日号では、木原氏の妻の事情聴取を担当した「捜査の神様」、元警視庁捜査一課一係・佐藤誠氏への独占インタビューを掲載しました。

すると露木康浩《つゆきやすひろ》警察庁長官は、二〇二三年七月一三日の定例記者会見で、『週刊文春』が安田種雄氏の不審死に関する捜査に疑問を呈したことに対し、「捜査が公正ではなかったという指摘は当たらない」と述べました。

私はこの不審死事件に対して主に二つの点に関心があります。

一つは事件の真相です。大半の人がこの点に関心を持っていますが、自殺ではなく他殺だったのなら、犯人がいるということになります。殺人事件が迷宮入りして終わるのは、あってはなりません。

もう一つの関心は、二〇一八年に再捜査が行われたのに、非常に不自然なかたちでその捜査が打ち切られた理由です。木原氏の妻の取り調べを担当した佐藤氏は、「こんなことはいままでになかった」と振り返っています。

有本　安田氏が亡くなったのは、木原氏と妻が出会う前です。そして再捜査は、木原氏と妻のあいだに二人目のお子さんが生まれた直後に始まっています。いきなり自分の妻が事情聴取を受けることになったのですから、まさに木原氏にとっては青天《せいてん》の霹靂《へきれき》だったと思います。

　問題は、百田さんが指摘した通り、木原氏が自分の権力を行使して捜査を阻《はば》んだかどうかです。私は木原氏と面識がありますし、私のニコニコ動画「有本香チャンネル」に出演してもらったこともあります。単なる女性スキャンダルぐらいなら木原氏を批判するつもりはありませんでした。

百田　しかし、もし本当に捜査を阻んだとしたら、これはもう大問題です。

有本　そのとおりです。もし木原氏が捜査に横槍《よこやり》を入れていたとしたら、私たちは国家そのものを疑わなければならなくなります。そうした意味では、栗生俊一《くりゅうしゅんいち》官房副長官の存在が気になります。

　栗生氏は、安田氏の再捜査が始まった二〇一八年に警察庁長官に就任しています。二〇二〇年に警察庁を退職したあとは民間企業の顧問を務め、岸田氏が首相になった二〇二一年に内閣官房副長官に就任しました。

内閣官房副長官は三人いて、衆参の国会議員から一人ずつ選ばれて政務を担い、官僚から一人が派遣されて事務を担います。しかし、一度民間に天下った人物を官邸に迎え入れることは珍しい……。

安倍政権や菅政権では警察出身者を官房副長官に抜擢《ばってき》したため、岸田政権では別の役所の出身者を指名するのではないかと噂されていました。ところが蓋《ふた》を開けてみると警察庁出身の栗生氏が任命された……いろいろ勘繰《かんぐ》りたくなる人事でした。

百田　なぜ栗生氏を抜擢したのか？　二〇一八年に安田氏の不審死に対する再捜査が行われ、木原氏の妻が事情聴取を受けたことは、当時、政調会長を務めていた岸田氏の耳にも当然入っていたはずです。岸田氏が最も信頼する最高のアドバイザーが木原氏ですから。

すると、木原氏が捜査に何らかの圧力をかけたのではないかという『週刊文春』の指摘は、蓋然性《がいぜんせい》が高いと言えます。

有本　自分の妻であり、自分の子供の母である人を守りたいという気持ちで、何らかの動きをしたとしたら……人情としては理解できます。しかし、政治家が絶対にやってはならないことです。

百田　『週刊文春』の記事によれば、事件当時に木原氏の妻の愛人だった人物が宮崎刑務所における、捜査員は約三〇回にわたり事情聴取を行ったといいます。複数の捜査員が三〇回も宮崎に行くわけですから、交通費や宿泊費は大変な額になります。

警察にも予算があり、人員にも限りがある。だからすべての事件に満足な予算と人員を投入できるわけではありません。それでも安田氏の不審死に関する捜査を再開し、宮崎刑務所で事情聴取を行ったのは、それなりの理由があったからです。普通、一二年も前に解決済みとした事件を掘り返して再捜査するなんてことはそうそうありません。つまり、再捜査が必要なくらいの疑惑があったということです。しかもそのための予算と捜査員を投入したということは、そうした権限を持つ、かなり上の人が「再捜査すべき」と認めたということです。にもかかわらず、一年足らずで捜査は突然打ち切られてしまった……。

有本　政府が捜査に何らかの影響を及ぼすこと、あるいは警察に圧力をかけることはあり得るのか？　これがポイントですが、かつて内閣官房参与を務められた髙橋洋一氏は、「あさ8」で「刑事事件ならば、あるのではないでしょうか。ただ、確たる証拠がなければ警察が突然、捜査を打ち切ることもあると思います」と述べられました。

百田　事情聴取の相手が木原氏の妻でなければ、警察はもっと強引に捜査を進めていたかもしれません。現職の議員の妻に手荒な真似をすると自分たちの首が飛ぶかもしれない、そう考えても不思議ではないでしょう。そうして警察側が、「もし立件できなかったらまずいことになる」と考えて、自制してしまったのかもしれません。

政治家・木原誠二と人間・木原誠二

有本　この安田種雄氏の不審死をめぐる一連の報道を受けて、木原氏は『週刊文春』を発行する文藝春秋社を刑事告訴しました。

しかし木原氏は権力の側にいます。ゆえに刑事告訴に打って出るべきではなかったと思いますね。もちろん、国会議員だからといって、メディアに不当に叩かれたり、家族のプライバシーが危機に晒《さら》されたりしても、ひたすら我慢すべきだ、などと言うつもりは毛頭ありません。ただ、事実に反する報道があったなら、まずは自分の口で説明すべきです。そのうえでも報道が続くのであれば、初めて告訴すればいいのではないでしょうか。

いっさいの説明なしに訴えるというのは、議員として正しい対応だとは思えません。

百田　繰り返しますが、問題は木原氏が捜査に影響を及ぼしたかどうかです。再捜査が始まった二〇一八年に木原氏の妻の事情聴取を担当した佐藤氏は、木原氏と妻の会話を録音・録画したタクシーのドライブレコーダーを分析しました。そして木原氏が「俺が手を回しておいたから心配するな」と言っていたことを明らかにしています。

二〇二三年七月に行った記者会見で佐藤氏は、木原氏のこの発言について「もしかしたら励ましているだけかもしれない」と煙幕を張りましたが。

しかし、もし木原氏がこの発言をしたのが事実であり、その証拠となる音声が残っているのだとしたら、事態は違うフェーズに移ります。

有本 事件について木原氏が何かを語る必要はないのですが、捜査に影響を与えたのではないかという疑惑を持たれているのですから、政治家として、その疑惑を晴らす必要はあるでしょう。

私は『週刊文春』の一連の報道を受けて、政治家・木原誠二と人間・木原誠二を分けて考えてみました。実際にお目にかかったことが何度もありますが、政治家としては一定の信頼を寄せられる人物だと思います。もっともLGBT法を推進したことに対しては失望しましたが。

では、人間としてはどうでしょうか？　まず、愛人とされる女性とのあいだに子供がおり、七五三のときには三人で神社に詣《もう》でています。にもかかわらず木原氏は、愛人の存在や子供との血縁関係を説明することを頑《かたく》なに拒否してきました。

また官房副長官時代には、時に愛人宅から首相官邸に自動車通勤をしており、その様子も報道されています。加えて官房副長官は内閣の広報役でもあるのですが、木原氏は記者たちに対して頑なに「夜討ち朝駆け」による取材を拒んでいたそうです。帰宅する先が自宅と愛人宅と二軒あることが理由だったとしたら……政治家としても失格の烙印《らくいん》を押されて当然でしょう。

百田　木原氏は、妻と愛人が二〇一四年に相次いで妊娠した際、「先に子供を産んだほうと結婚する」と宣言していたとされています。当時の木原氏は既に四〇歳を超えており、若気《わかげ》の至りというには歳を取りすぎています。もちろん、国会議員を務めている人物が、同時期に複数の女性と交際し、しかも子供まで作ることは、別に法を犯したわけではありませんが、倫理的にはどうかと思います。

警視庁は遺族からの告訴を受けて再捜査したものの、事件性は認められなかったとする捜査結果を東京地検に送り、事実上再捜査は止まったままの状況ですが、遺族が検察に再捜査を依頼、〈検察庁は、遺族側に対し独自に捜査する姿勢などを強調したということです〉（二〇二三年一二月二五日「ワールドビジネスサテライト」）。

野心家と聞く木原氏が政治家として次のステージに昇りたいと思っているのであれば、

その唯一の方法は、自らの声で疑惑を晴らすことです。それがなければ、これからも木原氏が政府や自民党の要職に就《つ》くたびに、不審死にまつわる報道がぶり返されるでしょう。

「ナカキタ」という男

有本　さらに『週刊文春』は、二〇二三年八月一七・二四日号で、木原氏が違法風俗店を利用していたと報じています。

〈木原氏が人妻専門デリヘルから風俗嬢を自宅に頻繁に呼び寄せ、違法な本番行為に及んでいたことが、『週刊文春』の取材で分かった〉

百田　一八歳未満の女子との性行為や、公然わいせつ罪に該当する行為を行わない限り、違法風俗店を利用しても、客が逮捕されることはありません。それでも現職の国会議員が違法風俗店を利用するのはいただけない。厳しい目が向けられて当然です。

　しかも『週刊文春』の記事によれば、木原氏は「ナカキタ」という偽名を使い、違法風俗店の常連だったといいます。「世の中、コロナ禍なんだけど、俺はエッチを我慢できないからさぁ」などと話していたそうですから、「プライベートのことは知らんがな」で済ませていい話ではないと思います。

記事には、店員や木原氏の相手をした女性の証言も、詳細に書かれています。一〇〇分コースで呼んだデリヘル嬢に、「俺はションベン臭い女が嫌いなんだ。熟女だよな、やっぱり熟女だ」などと言い放ったというから驚きです。しかも呼んだ先は、表札に「ナカキタ」という偽名が貼り付けられていたとしても、時には家族も居住する自宅マンションだったと。

有本　木原氏のこの手の話は、枚挙《まいきょ》に遑《いとま》がないようですね。実は私もほうぼうからスキャンダルを聞いていました。

百田　ただ、本来、こうした下半身ネタを週刊誌が記事にすべきではないのです。木原氏に名誉毀損《きそん》で訴えられたら、『週刊文春』は一〇〇パーセント負ける。この手の記事には公益性もありません。

『週刊文春』がこの記事の掲載に至った理由は、安田種雄氏の不審死事件をめぐる事件を受けて、木原氏が文藝春秋社を刑事告訴したからではないかと思います。

国家権力を握っている人物が刑事告訴をするという行為は、警察権を恣意的《しいてき》に使っているという解釈もできます。政権や与党にいる人間がすべきことではありませんでした。言論には言論で戦えばいいのです。

たとえば安倍晋三氏は首相在任中、「モリ・カケ・サクラ」と言われましたが、森友学園問題、加計《かけ》学園問題、桜を見る会問題などにおいて、連日のように朝から晩までメディアで叩かれました。根も葉もない情報を元に……しかし、刑事告訴という手段は決して取りませんでした。安倍氏が恣意的に警察権を行使したと判断されることを嫌ったからではないでしょうか。

つまり『週刊文春』は、「木原さんが刑事告訴という反則技を使うのなら、ウチも使いますわ」ということで、下半身ネタでやり返したのでしょう。まあ、この反則技はボクシングで言えば「ローブロー」でした。見事に木原氏の股間を撃ち抜きました。

有本　「国会議員たるもの聖人たれ」とは言いませんが、木原氏が違法風俗店の常連だったことが事実なら、議員としての資質を問わざるを得ません。

百田　日本の国会議員はこんな連中ばかりなのかと情けなくなります。

官房長官に面会させて七日後に献金をゲット

有本　「こんな連中ばかりなのか」と暗澹たる思いになるのですが、「あさ8」ではあえて次のようなニュースも取り上げます。

ニュースサイト「ＳｍａｒｔＦＬＡＳＨ」は、二〇二三年八月一五日、「『ブライダル補助金』の森まさこ議員が業界大手から一〇〇万円の寄附！　直後に始まった『結婚応援宣言の怪』という記事を掲載しました。次のようなものです。

《《先日、経産省サービス産業課よりレクを受けました。議連の要望が叶い新設されたブライダル補助金の第一次、第二次公募の結果について報告を受け、夏の概算要求に向けた対応も説明を受けました。これを受けて秋に議連を開いて議論して参りたいと思います》

自民党の森まさこ参院議員が八月一二日、自身のX（旧Twitter）でブライダル業界への補助金事業である「ブライダル補助金」の順調な進捗《しんちょく》状況を報告した〉

すると森氏のポストに対し、各方面から批判が殺到しました。すなわち、業界大手から一〇〇万円の寄付を受けたから「ブライダル補助金」を推進したのではないかと勘繰られたわけです。

さらに同記事では、一つの問題点を指摘しています。

〈森氏が代表を務める「自民党福島県参議院選挙区第四支部」の令和三（二〇二一）年分「政治資金収支報告書」を見ると、「寄附の内訳」という欄に「㈱テイクアンドドギヴ・ニーズ」という表記があった。その横には「一，〇〇〇，〇〇〇円」「R三／四／三〇」の文字。「テイクアンドギヴ・ニーズ」といえば、一九九八年に創業された「ハウスウエディング」

の企画運営をする先駆け的会社である。現在はホテル、レストランなど多角化を進め、海外展開もしている。まさに、森議員が押し進める施策の「恩恵」を受けるかもしれない企業である〉

百田　通称「ブライダル補助金」は、正式には「特定生活関連サービスインバウンド需要創出促進・基盤強化事業」といいます。ブライダル産業などによるインバウンド需要獲得のための事業に対し、最大で五〇〇万円を補助するものです。

実は、この報道がなされる前から、一部の人たちから森氏とブライダル業界の関係に対する疑問、そして「ブライダル補助金」に対する懸念の声が上がっていました。

有本　私もこの件について調べてみました。二〇二〇年一月から新型コロナウイルスの感染者が拡大したため、飲食店などは営業自粛が強《し》いられました。同様にブライダル業界も売上が減少し、結婚式場やウエディング演出会社などは瀕死の状態に陥《おちい》りました。この状況が、森氏とブライダル業界を結び付けるきっかけになったのです。

森氏は二〇二一年四月三〇日付で一〇〇万円を受け取っていますが、同月に何があったのか？　森氏自身が、二〇二一年五月二七日のブログでこう書いています。

〈四月一六日　ブライダル業界の方より私へＳＯＳのメールが届きました〉

そして翌一七日、森氏は結婚式場業界団体の理事らブライダル関係者と面会しています。
〈四月一七日　ブライダル業界の方と打ち合わせ
結婚式場業界団体の理事さんらと意見交換をしました。（略）結婚式を挙げたいのに様々な理由で挙げられない方々の応援をしてまいりたいと思いました〉
ブログに掲載された写真を見る限りでは、議員会館ではなく国会議事堂内で会ったようです。そしてその六日後には、加藤勝信《かつのぶ》官房長官との面会をセッティングしています。
〈四月二三日　官房長官との面会をセット
全日本ブライダル協会 桂由美会長をはじめブライダル業界の皆様をお連れして、私が加藤官房長官との面会をセットし、宣言発出当日に休業対象から外してもらう請願を実現致しました〉
四月一六日に業界側からSOSメールが届き、翌日に面会。その六日後に官房長官に引き合わせているのですから、森氏のフットワークの軽さには、ある意味感心します。そして官房長官と面会した七日後の四月三〇日には、早くも献金を受けているのです。
「ブライダル産業新聞」二〇二一年八月一日・一一日号の紙面では、森氏とテイクアンドギヴ・ニーズ代表取締役会長の野尻佳孝《のじりよしたか》氏が、「未婚少子化対策に果たす役割」をテーマに対談しています。

この対談で野尻氏は、〈森議員がいなかったら、確実に営業自粛になっていた〉とまで語っています。

百田　つまり、緊急事態宣言が発令されたときにブライダル業界だけが対象から除外されるよう、森氏が尽力したということですね。

有本　さらに野尻氏は、〈二〇二一年度の骨太《ほねぶと》の方針原案にも、今回初めて結婚支援という言葉が入りました。これも森議員の貢献が非常に大きかったです〉と称えています。

これに対して森氏は、以下のように語っています。

〈それまで、結婚という言葉はなかったですから。骨太は、国の成長戦略の骨格であり、その骨格が政策となり予算に反映されていきます。補助金のよりよい使い方という観点から、優先的に付けられるようになります。だからこそ、結婚支援の言葉がきちんと入ることが大切です〉

少子化対策の名を騙るインバウンド政策

百田　この二人は非常に良い関係を築いているようですが、それは逆にいうと、癒着を疑われても仕方がない、ということです。

有本　森氏は自民党人口減少対策議連の会長を務めています。ただ党内には婚活・ブライダル振興議連もあります。この議連は、小池百合子東京都知事が国会議員時代に創設しました。小池氏が離党してからは、三原じゅん子参議院議員が会長を務めています。

瀕死のブライダル業界に救いの手を差し伸べるべきは、婚活・ブライダル振興議連です。ところが森氏は、この議連の話はいっさいせずに、少子化に結びつけてブライダル産業を取り込もうとしています。それは氏がブログで書いた〈少子化とコロナ禍で結婚式が減少〉という文言《もんごん》からも窺《うかが》い知れます。

このとき婚活・ブライダル振興議連は何をしていたのでしょうか？　ひょっとしたら、自民党の女性同士の争いがあったのかもしれません。

百田　「ブライダル産業新聞」の対談で、森氏は次のようにも語っています。

〈今年になってリクルートのデータで結婚式をした人が赤ちゃんを産む率が上がる、離婚率も低いというエビデンスが示されました。また結婚式に出たゲストが、結婚をしたくなるという効果があることも。感動をして結婚したいとなれば、それが赤ちゃんに繋がり人口増をもたらします〉

つまり、結婚式を支援すれば結婚する人が増える、子供を作る夫婦も増える、だからブライダル産業を支援しなければならない、という論理で説明しているわけです。

二〇二三年八月二一日からは、森氏肝煎《きもい》りのブライダル補助金の第三次公募が始まっています。ただ問題なのは、ブライダル補助金の中身でしょう。

有本　「特定生活関連サービスインバウンド需要創出促進・基盤強化事業」という長い名称が示す通り、実はインバウンドに対して支給されるものなのですね。

百田　「結婚式を挙げる国民が増えれば少子化解消に繋がる、だからブライダル産業を支援すべきだ」というのが森氏の考えのはずです。にもかかわらず、なぜかインバウンドにすり替わっている……。

有本　これは私の邪推ですが、ひょっとしたら二階俊博元幹事長が入れ知恵したのかもしれません。森氏と稲田氏はLGBT法や選択的夫婦別姓制度を一緒に推進するなど、非常に近い関係です。そして両氏は、ともに二階氏を慕《した》っていました。

インバウンド優遇措置を表立って行うと、反対の声が上がります。だから少子化対策などと銘打《めいう》って、批判を収めようとしているのではないでしょうか。

百田　一つの可能性として十分に考えられますね。

国会議員の官邸見学ツアーの危険性

有本　森まさこ参議院議員は岸田内閣で首相補佐官も務めており、『週刊文春』二〇二三年九月一四日号では、森氏が二〇二三年八月、長女とその友人一行を首相官邸に招待し見学ツアーを行っていたと報じています。また、記事では次のように問題提起しています。

〈首相官邸は総理大臣をはじめとした政権中枢の執務空間であるだけに「首相補佐官の立場を使った私的利用ではないか」との指摘が浮上している〉

百田　この記事の見出しで使われた「官邸の私物化」という文言は当時X上でトレンド入りし、「首相官邸は自民党議員の遊園地」などと厳しい声が上がりました。

福井県立大学名誉教授で国際政治学者の島田洋一氏は、「あさ8」で次のように語っておられます。

「家族や知人を首相官邸に招待することは、珍しいことではありません。それはアメリカでも同様で、大統領はホワイトハウスの大統領執務室に家族や支援者を招待します。しかし、執務室は写真撮影のための部屋であり、実際の執務は、ほかの部屋で行っているのです。

森氏が長女とその友人を官邸に招いたのも、本来ならまったく問題にならなかったはずです。では、このときなぜ問題視されたのか？　それは、森氏が議員としてろくな仕事をしていないからなのです」

有本　たとえばトランプ大統領のもとで報道官を務めたケイリー・マケナニー氏も、家族をホワイトハウスに招いていました。ただしこれは、家族を大事にしながら仕事に邁進《まいしん》していることをアピールするためのものでした。まさにアメリカ的な演出です。

一方の森氏の場合は、コソコソと家族や友人を招待した……そして週刊誌に書かれて大慌てしているという構図です。

また首相官邸には、島田氏が指摘されたホワイトハウスのような写真撮影をするための部屋などありません。首相官邸内を案内することに政治的なリスクがあるということを、森氏は理解していないのでしょう。

島田氏は、こう語っておられます。

「首相官邸内を安易に案内する危険性について、森氏は分かっていないのでしょうね。彼女はブライダル利権に関する疑惑の説明責任も果たしていません。本来なら、岸田首相がきちんと説明するよう指示すべきでした。そしてもし説明できないのなら、彼女に首相補佐官を務める資格などありません」

外国人労働者八〇万人受け入れで潤う首相の弟

百田　首相官邸、公邸の話でいいますと、『週刊文春』は二〇二三年六月一日号で、岸田首相の長男で首相秘書官（政務担当）の翔太郎氏にまつわる記事を掲載しました。翔太郎氏が二〇二二年末、首相公邸内に親族を集めて忘年会を行った際、公邸内で記念写真を撮るなど不適切な行動をとったというものです。

すると野党や国民から囂々《ごうごう》たる批判の声が上がり、五月二九日、翔太郎氏は秘書官を辞職、岸田首相による事実上の更迭《こうてつ》でした。

そもそもこんなボンクラを、自分の息子だからという理由で首相秘書官に任命したのがおかしいですよ。実際、麻生太郎自民党副総裁が止めたという話もあります。息子が可愛くて仕方がないのでしょうが、一国の首相たるや、常に国の舵取りを優先してもらいたいものです。

秘書官就任後の翔太郎氏は、多くの失敗を繰り返してきました。最も許せないのは、まだ公にされていない官邸の情報を漏洩《ろうえい》させた疑いがあること。なぜかフジテレビの女性記者だけが官邸の極秘情報を入手していたという件です。

二〇二二年一〇月当時の話ですが、旧統一教会との関係をめぐって去就が注目されていた山際大志郎《やまぎわだいしろう》経済再生相の辞任を、フジテレビだけがいち早くスクープしたのです。

そして、この女性記者と翔太郎氏が懇意にしていたことから、彼が情報を漏《も》らしたのではないかと報道されたのです。もしこれが事実なら、その時点で完全に首相秘書官失格です。

有本　また、二〇二三年一月に岸田首相とともにヨーロッパを外遊した際には、大使館の車を使ってデパートで買い物をしたり、観光地を巡ったりしました。いったい何をしにヨーロッパまで行ったのでしょうか。

百田　そして極め付きが首相公邸で行った忘年会です。首相公邸は一般人が容易に入れる場所ではありません。私は一度だけ仕事で入ったことがありますが、首相公邸の運営には年間で約一億六〇〇〇万円もの経費がかかっています。そのような場所をプライベートで使用し、悪ふざけをするなど、許されるはずがありません。

新しい内閣が誕生すると、首相公邸内の階段に大臣たちが集まり、写真を撮ります。その階段で翔太郎氏は親戚の人たちと写真を撮ったのです……なんと、みなで階段に寝そべっている写真まで撮っています。

『文春オンライン』では数枚の写真を公開しましたが、これらを見ると、「舐《な》めとんのか！」と叫び声を上げるしかないものばかりでした。翔太郎氏に首相秘書官としての緊張感がまるでなかったのは確かです。

有本　このとき岸田首相は意外と早く更迭やむなしと考えていたそうですが、奥様や周囲の人物から止められたのだそうです。

百田　だとしても、親バカで首相秘書官に任命した岸田氏に責任があります。

実は私も、首相公邸の階段で、当時の安倍総理とツーショットで写真を撮ったことがあります。しかし、親戚の仲間たちと寝転がって写真を撮るなど、まったくの論外です。

有本　たしかに寝そべるなどというふざけた行為は許しがたいことですね。しかも、その写真が流出してしまいました。写真に写っていた人たちは、本当に親族なのでしょうか？

百田　階段で寝そべっていた人は翔太郎氏の従兄弟《いとこ》とされています。また、『週刊文春』の二〇二三年六月一日号の記事によれば、従兄弟の父（岸田首相の弟）・岸田武雄氏は、外国人の国内労働を支援する「フィールジャパンｗｉｔｈ Ｋ」代表取締役を務めています。

二〇二四年三月、日本政府が、外国人労働者を中長期的に受け入れる特定技能制度を使い、二〇二四年度から五年間で最大約八〇万人を受け入れようとしていることが判明しましたが、その際に武雄氏は利益を享受することになるでしょう。

　岸田首相は「留学生は日本の宝だ」などと述べ、留学生のための奨学金に二二六億円もの巨費を投入します。さらには外国人労働者を増やそうとしています。こうした政策は武雄氏の商売のためという側面もあるのではないかと勘繰られても仕方がありません。

「瓜田《かでん》に履《くつ》を納《い》れず、李下《りか》に冠《かんむり》を正さず」という言葉があります。外国人労働者の斡旋《あっせん》を生業《なりわい》にしている人が身内にいたら、外国人労働者の受け入れには慎重になるべきではないでしょうか。あるいは武雄氏が業態を変えてもいいのですから。

有本　単純労働の分野に外国人労働者を受け入れる政策は、安倍政権のときから取り組んできました。ただ武雄氏のビジネスは、あまりにカネに直結しているように見えます。国民から疑いの目が向けられても仕方がありません。

百田　ここまで読んでくださった読者の方々には、自民党の国会議員が、日本国と日本人を豊かにするのではなく、自分たちの懐《ふところ》を温かくすることばかりに奔走しているという実態がよく見えていると思います。

世襲議員を作る支援者たちの既得権

有本　二〇二三年七月三一日、岸田首相の資金管理団体は、広島区中区のホテルで政治資金パーティーを開きました。岸田首相は欠席しましたが、長男で秘書を務める翔太郎氏が近況報告を行いました。そして政務担当秘書官を六月に辞任したことに触れ、「一からやり直したい」と決意を述べました。

また「中国新聞」の二〇二三年七月三一日付の記事によりますと、〈翔太郎氏は昨年（二〇二二年）末の忘年会の際に公邸内で親族と記念撮影したとの報道を受け「多くの方から叱咤《しった》激励をもらった。しっかり受け止める」などと語った〉そうです。

百田　叱咤激励ではなく、叱責《しっせき》です。どうも彼は日本語の理解が乏しいようです。

有本　支持者からは「頑張れ」という声もあったのかもしれませんが、こういう場の挨拶では、「お叱りをいただきました」と述べるのが普通です。

百田　翔太郎氏は「一からやり直したい」と語ったとのことですが、どういう意味なのでしょうか？

有本　結局、彼が岸田首相の後継者になるということでしょう。現に、しれっと秘書に復帰させているではないですか。

百田　一〇年後には、翔太郎氏が広島一区から出馬する、ということですね。ことほど左様に、国会議員は世襲議員ばかりです。ただ逆説的にいうと、岸田首相が彼を秘書や首相秘書官にしなかったならば、意外とスムーズに後継ぎになれたことでしょう。

しかし翔太郎氏は、首相の秘書官として、様々な問題を引き起こしたことで、一〇年後も有権者は、「え、あの翔太郎？　例のアホか」と、まだ覚えています。それでも当選するかもしれませんが、少なくとも地元以外の国民は、「あのアホが議員になったんやな」と、呆れるでしょう。

有本　国会議員は自分の息子や娘が選挙区を継ぐのが当たり前だと考え、また、それを望む支援者もいます。岸田首相をずっと支持してきた人にとってみれば、たとえ資質に問題があったとしても、次は翔太郎氏が継ぐのが当然だと思っているはずです。しかしそこには、「頭として担《かつ》ぐ国会議員の方向性が同じならば、自分たちの既得権は守られる」という支援者側のエゴがあります。

百田　それこそが、日本の政治を劣化させてきたのです。自民党議員の約四割は世襲議員です。立憲民主党にしても幹部連中は大半が世襲、共産党もしかりです。他の政党にも世襲議員はいますが、圧倒的に多いのが自民党です。

世襲というシステムの下《もと》では、若くして政治の現場を体験できるというメリットがあるかもしれません。しかし、いまの自民党の体《てい》たらくを見ていると、デメリットのほうが多いと思います。現に翔太郎氏は、秘書官として政治の現場を学ぶのではなく、その特別な立場を自らのために利用することしかしていません。少なくとも私には、そう見えました。

世襲議員を擁護する人たちは、必ず安倍晋三氏や中川昭一氏の名前を挙げます。たしかに二人とも世襲議員ですが、彼らは例外です。あのように優れた国家観や歴史観を持ち、実行力もあった世襲議員は、ほとんど出ません。奇跡といってもいい。それは、祖父が首相を務め、父が外務大臣を務めた鳩山由紀夫氏を見れば、一目瞭然です。

有本　ただ、非世襲議員がみなクリーンで優秀かといえば、そうではありません。永田町に優れた人材が本当に欠乏していますね。

自民党と公明党は夫婦か兄弟か

百田　二〇二三年六月二四日、当時の萩生田《はぎうだ》光一自民党政務調査会長は、自民党愛知県連大会に出席しました。そして、自民党と公明党が東京の選挙区における調整で対立していることに言及し、「兄弟げんかは仲直りしなければならない」と述べました。六月二五日付の「読売新聞」では、そのことを以下のように報じています。

〈萩生田氏は「我々は政権を担っている責任を持って、連立を組む友党とスクラムを組むことが大事だ」と強調し、「夫婦げんかは離婚の危機があるが、我々は夫婦ではなく兄弟だ」と述べ、強固な関係をアピールした〉

この萩生田氏のコメントは酷《ひど》すぎて、どこから突っ込んだらいいのか分かりません。自公は兄弟だと考えているようですが、親中派の公明党と兄弟だと言うのでは、それはとんでもないことです。まだ夫婦のほうがマシでしょう。そもそも夫婦は、もともとは他人なのですから。

しかし、兄弟は血が繋がっています。自公が兄弟だと言うなら、「おかんは誰やねん?」という話です。その点を萩生田氏に訊いたら、なんて答えるでしょうか? 本当に愚かなコメントだと指摘しておきます。

有本 その通りです。そもそも自民党は改憲政党であるはずです。一方の公明党は護憲政党ですから根本が違うのです。

百田 小説は全体が比喩《ひゆ》です。小説家としてインタビューを受けると、「百田さんは、この小説で何を描きたかったのですか？」とよく訊かれます。私はこの質問が大嫌いなのですが、インタビュアーの気持ちを推し量《はか》り、いろいろと話します。でも、もし描きたかったことを一言で説明できるなら、小説を執筆する意味などないのです。

たとえば反戦小説を書いて、「戦争は唾棄《だき》すべきものだ」と伝えたかったとします。それならば、何百ページもの小説を書く必要はありません。「戦争は唾棄すべきものだ」の一言で十分なのです。

とはいえ、そう書いただけでは小説として成立しないし、何より売れません。つまり小説とは、伝えたいことを別の物語に置き換えて書くものなのです。読者は、読了後に作品を振り返りながら、いろいろなことを考えます。そして、「戦争は唾棄すべきものだ」という結論に至る。これこそが小説です。だから、小説は、常に比喩なのです。

また、ことわざも比喩です。「慌てる乞食《こじき》は貰《もら》いが少ない」や「二兎《にと》を追う者は一兎をも得ず」など、いろいろなことわざがあります。これらはすべて、たとえです。たとえて言うから面白いし、分かりやすいのです。

その点、萩生田氏の「我々は夫婦ではなく兄弟だ」というたとえは、まったく面白くないし、意味が分からない。ここで私が何を言いたいかというと、たとえには知性が必要だということです。同じたとえでも、暗喩《あんゆ》や寓意《ぐうい》など様々なテクニックがあります。極論すれば、「優れた文章は、たとえのうまい文章だ」とさえ言えます。

有本　萩生田氏は良かれと思い、たとえ話をしたのかもしれませんが、「我々は兄弟ではなく夫婦だ」と言ったところで、「え？　君たちは夫婦だったのか？　で、どっちが夫なの？」と突っ込まれるだけです。本当に残念なコメントでした。

麻生太郎氏の公明党批判はガス抜き？

百田　公明党に関しては麻生太郎自民党副総裁が、二〇二三年九月二四日に福岡市内で講演を行い、公明党の山口那津男代表らをガンだと批判しましたね。

有本　「産経新聞」は以下のように報じています。

〈岸田文雄政権が昨年末に閣議決定した反撃能力（敵基地攻撃能力）保有を含む安全保障関連三文書への対応を巡り、公明党の山口那津男代表ら幹部を名指しで「一番動かなかった、がんだった」と批判した。（略）麻生氏は「北朝鮮からどんどんミサイルが飛んでくる。だが公明党は専守防衛に反するという理由で反対。現実をよく見てみろ」と指摘した〉（二〇二三年九月二六日付）

百田　麻生氏は二〇二三年八月には訪問先の台湾で講演を行い、中国を念頭に「戦う覚悟を持つことが抑止力になる」と語っています。踏み込んだ発言をするようになりました。

有本　ただ、ガンだとまで言うなら、なぜ公明党との連立を解消しないのでしょうか？

百田　言外に「公明党と連立を続けるのは良くない」と言っているのかもしれません。

有本　しかし、どうしても予定調和のように見えてしまいます。公明党との連立に不満を持っている保守層がいるので、彼らに対するガス抜きのための発言だったように感じられます。麻生氏は老獪《ろうかい》な政治家で人心をうまく操《あやつ》るでしょうから。

ただいずれにせよ、自民党は公明党との連立を一日も早く解消すべきです。

百田　解消したところで自民党のリベラル性はもはや治らないでしょう。やはり我々日本保守党がなんとかしなければなりません。

第六章　財務省と経団連の罠

自民党がガソリン減税に後ろ向きなわけ

有本　ブルームバーグの報道（二〇二二年一〇月六日付）によりますと、世界中で看護師が不足していて、看護師の奪い合いになっているそうです。そのため看護師の賃金が高騰しています。

ところが日本では看護師の賃金水準は低く、准《じゅん》看護師の年収は約四百万円、正看護師の年収は五百万円程度です。日本では稼げないため、一年間語学を学んでから海外へ渡る看護師も増えています。このような人が増え続けると、日本の優秀な人材が他国に流出し、代わりに日本では外国人を受け入れることになるでしょう。

人材だけでなく、日本の食物も海外に流出しています。

農家が丹精《たんせい》を込めて作った農作物は、値段が高く、日本人が買いづらくなっています。その理由は簡単で、日本人の給料が上がらないからです。そこで政府は輸出に力を入れるようになり、代わりに日本人は中国などから輸入した安い食べ物を買うようになりました。

もちろん、何でもかんでも賃金を上げろと言っているわけではありません。二〇二三年に最低賃金は一〇〇〇円を超えました。これはいいことだと思います。ただ、最低賃金を上げることにはリスクもあります。

韓国では文在寅《ムンジェイン》前大統領の時代に最低賃金を上げました。二〇一八年には一六・四パーセント、二〇一九年には一〇・九パーセントも引き上げたのです。すると巷《ちまた》の中小零細《れいさい》企業は人を雇えなくなり、失業者が増加しました。経済を理解していなかった文大統領による失策です。

闇雲《やみくも》に賃金を上げるのは危険です。では、日本の経済状況をどう改善させればいいかといえば、まずは減税すべきなのですよ。

いま日本ではガソリン価格や電気代が高騰しています。ガソリン価格などが高いままでは、企業が社員に還元することなどできません。

百田　二〇二三年度の国民の平均年収は四五八万円で、約三〇年前からほとんど上がっていません。その一方で、所得に占める税金・社会保険料等の負担の割合を示す国民負担率は上がっており、二〇二三年度は四六・一パーセント。二〇〇〇年度は三五・六パーセントですから、年収が上がらない中、負担だけが激増しているのです。

このような状況の下《もと》で、若者が結婚して子供を生み育てようと考えなくなっても当然です。

有本　こうした状況を変えるためには、まずトリガー条項を発動してガソリン税を減税し、かつ再エネ利権の象徴、「再生可能エネルギー発電促進賦課金《ふかきん》」いわゆる「再エネ賦課金」を止めて電気料金を引き下げ、企業に儲けやすい環境を作るべきなのです。そうして大きくなった企業の利益から賃金として国民に分配されるようになれば、当然、年収も上がります。

ところが自民党は、ガソリン税に対するトリガー条項の発動に後ろ向きです。なぜか。補助金として石油業界に配れば、自民党が感謝され、企業から献金が集まり、パーティー券も買ってもらえるからです。自分たちのために国民を犠牲にしている。自分たちが議員でい続けるための政治になっているんです。こんな政治、絶対に変えないとダメです。政治を変えれば絶対に日本は良くなります。その力が日本にはあるのですから。

江戸時代ではなく現代日本こそが「五公五民」

百田　二〇二二年度の税収は三年連続で過去最高を更新し、初めて七一兆円を突破しました。第二次補正予算を編成した段階では、政府の見積もりは六八兆円でした。ところが三兆円も上回ったのです。消費税増税など行う必要はまったくありません。

国内の企業が儲かれば、自動的に税収は増えます。また、三〇年間続いたデフレを脱却して景気を上向かせれば、新たな税を導入したり、税率を上げたりして、さらに税金を徴収する必要などないのです。

有本　ただ多くの国会議員や財務省の官僚は、国民の税負担を減らすといった発想に至りません。彼らには、一度でいいから企業で働くか、店舗を経営して、痛税感を味わってもらいたいものです。というのも、日本の法人税は高いので、売上が伸びるとかなりの額の税金を納めなくてはなりません。

百田　しかも、政治家の裏金問題では、派閥から還付されたカネを多くの国会議員が政治資金収支報告書に記載していませんでした。政治資金収支報告書に記載しなかった時点で税金を納める必要性があると指摘する専門家が数多くいましたが、結局、納税の意志を示した「裏金議員」は一人もいませんでした。

有本　そうしたお寒い永田町と霞が関の事情について、経済安全保障アナリストの平井宏治さんは、「あさ8」で以下のように解説してくださいました。

「コロナ禍が明けて日本では経済状況が回復してきたのですから、いまはむしろ国民の税の負担を減らすべきなのです。

国家試験に合格して役人になると、その人は、基本的に引退するまで役人です。民間企業の賃金繰《ぐ》りの大変さなどは、まったく理解していません。そして議員たちは、そんな役人の言いなりになっているのが実情です」

百田　余談になりますが、江戸時代には「五公五民」、すなわち農民が収穫した作物の五〇パーセントを年貢《ねんぐ》として領主に納めていたといわれてきました。しかし近年になって、これは誤った歴史であると指摘されています。貧民史観に基づいて作られた歴史だったのです。当時、国民の八〇パーセントが農民です。残りの二〇パーセントで半分の米を食べるのは不可能です。逆に言えば、八割の国民が半分の米で生活すれば、大半が栄養失調で死にます。百姓はヒエやアワばかり食べていたということを言う人がいますが、だとすれば日本中がヒエ畑やアワ畑ばかりだったということになります。ヒエやアワは栄養価がめちゃくちゃ低く、そんなものを畑で作るのは非効率すぎます。というわけで、「五公五民」は嘘だったことが分かります。

そこで翻《ひるがえ》って現在の日本を見ると、という話ですが、なんと国民負担率は四六・一パーセントです。それこそ、ほとんど「五公五民」の社会になっているのです。江戸時代よりもひどい搾取なのです。

大学無償化など本当に必要なのか

有本　私が怒りを感じるのは、自民党の政府は税金を取れるだけ取って、あとで、そのカネを分配しようとすることです。これも先に触れたガソリン税のケースのように、ある特定の集団に恩を売って、次回の投票行動に影響を与えようとしているのかもしれません。

しかし事は単純です。税負担や社会保障負担を全体的に低くしてくれれば、国民の懐《ふところ》は潤《うるお》い、経済は活性化する。日本のような国民の知的レベルが総じて高く、技術の裾野《すその》の広い国なら自明のことです。

もしかしたら今日の日本社会が「五公五民」になったのは、自民党が既得権層に税金を再分配し、選挙で自分たちが有利になろうとしてきた結果なのかもしれません。

百田　平井さんは「国民一人ひとりに自分で稼いだお金を使うという意識を持たせることは大切だ」と述べておられますが、その通りです。税金で賄《まかな》うのは、個人では対処できないものだけでいい。たとえば国防です。個人が単独で武装しても国全体の防衛力を高めることなどできません。私たちが納めた税金を国防に充《あ》てて、最新式の防衛装備品で守りを固める。これが税金の正しい使い方だと思います。

　また、事あるごとに無償化を掲げるのも問題です。大学無償化など実施すべきではありません。日本に大量に存在するFランクの大学に大量の人間が押し寄せ、彼ら彼女らの学費を税金で負担することになるからです。これほどまでに大学の数が増えている原因の一つとして、霞が関の役人の天下り先が確保できるからです。だから外国人だろうとばんばん入れて訳の分からない大学が全国で乱立してしまう。大変な問題なのですが、いまの政治ではもっと酷《ひど》くなる一方です。

なぜ減税ではなく補助金なのか

有本　ガソリン価格の高騰に話を戻しますと、二〇一九年には一三〇円台だったレギュラーガソリンの価格が、二〇二三年九月には全国平均で一リットル一八六・五円となり、これまでの最高値《さいたかね》を更新しました。二〇二四年二月の全国平均は、一リットル一七〇・六円でした。政府は、二〇二四年四月まで「激変緩和措置（ガソリン元売りへの補助金）」で対応することを決め、さらに一定期間の延長を決定しました。

　この件に対して自民党の政調会長・萩生田《はぎうだ》光一氏は、二〇二三年一一月三〇日、記者団に〈「今年の税制改正の話題にするつもりはない」と先送りを明言〉（『FLASH』二〇二三年一二月六日号)、さらに激変緩和措置について〈今こういう制度をやっているのは日本ぐらいだ。脱炭素などを考えれば、ある程度、金額的に国民に慣れていただくことも必要ではないか〉(同記事)と語りました。

百田　萩生田氏の発言を分かりやすく言い換えると、「ガソリン代が高くても我慢せぇや」ということですね。

いま、日本の流通業界が悲鳴を上げています。経営状態が悪化している運送会社も少なくないでしょう。そんな業界の人々に対して、萩生田氏は「我慢せぇや」と言ったわけです。交通手段が自動車しかない地方在住の人たちにも「ええか、ガソリン価格なんて、こんなもんやで」と……ものすごく腹が立ちます。

ただ、ガソリン価格には一リットルにつき五三・八円のガソリン税(揮《き》発《はつ》油《ゆ》税と地方揮発油税)が含まれています。それに加えて消費税も取られる。二重どりになり、だからこそガソリンは高くなってしまうのです。

先ほど、有本さんがおっしゃったようにトリガー条項を発動して、ガソリン税を一時的に減免すべきですね。

有本　減税よりも元売りに補助金を支給したほうがいい、という声もあるにはあります。

そうすればガソリンだけでなく、あらゆる油が安くなるというわけです。しかし、元売りに補助金を支給しても価格に反映されないケースが散見されました。やはり、トリガー条項を発動すべきだったのです。

百田　しかし、財務省がそれをしたくない――。ガソリン税を減免したらどうなるかというと、一・五兆円分の税収がなくなるといわれています。ところが実際は、元売りに一〇・九兆円もの補助金を支給していた。つまり補助金を止めてガソリン税を減免すれば、〇・四兆円も浮くわけです。だったら減税したほうが、日本政府の手持ちの「カネ」は減りません。

ところが財務省の理論は違います。とにかく一円でも多く国民からカネを徴収し、それを自分たちの手で分配したい。そうして、ある特定のグループに恩恵を与え、天下りなどの恩恵を得たい。だから意地でも減税を認めないのではないか。

有本　それはガソリン税に限った話ではないですね。とにかく税金を自分たちの手に留めておきたい。だから消費税の増税にもこだわっているのです。そして自民党の多くの議員が、そんな財務省の意向に従っています。

百田　財務省にいわば洗脳されてしまっている。

有本　政治家が石油業界やタクシー業界などから政治献金を得たいがために政策を捻《ね》じ曲げるという構図は、財務省の行動原理と瓜《うり》二つです。

しかし、「とにかくおカネを納めろ、そうしたら俺たちが正しく分配してやる」というのは、まさに全体主義的で左派の思考法です。

百田　やはり自民党は保守政党ではない、ということですね。

経団連が消費税増税を推進するわけ

有本　「東京新聞」によりますと、一般社団法人日本経済団体連合会（経団連）は、自民党に消費税増税を検討するよう求めています。以下に記事を引用します。

〈経団連は（二〇二三年一〇月）一〇日、政治献金の判断基準となる主要政党の政策評価を発表した。自民党を中心とする与党を一〇年連続で「高く評価できる」として会員企業に自民党への献金を呼び掛ける一方、少子化対策の財源をめぐって消費税増税を検討するよう改めて同党に求めた〉（二〇二三年一〇月一〇日付）

経団連会長の十倉雅和《とくらまさかず》氏は、住友化学の代表取締役会長。一般の消費者を相手にビジネスをする企業のトップではありません。それゆえに、いかに消費者が物価の動向に敏感かが体感的に理解できていないのでしょう。

また、個人消費が日本のＧＤＰに占める割合は五〇パーセントを超えます。国民が消費しなければ経済的に発展しないことなど、自明の理なのです。にもかかわらず、なぜ消費者を痛めつけることばかり考えるのでしょうか。

さらに同じ記事によれば、十倉会長は〈「民主政治を維持していくには相応のコストが不可欠で、企業の政治寄付は社会貢献の一環として重要だ」と見解を述べた〉とのことです。別に企業献金を否定するつもりはありませんが、国民の考えを無視してまで増税を求め、その一方で企業に献金を呼びかける目的は、いったい何なのでしょうか。

百田　つまり、「自民党に献金したるから、その代わりに消費税を上げろや」ということですね。経団連は自民党の有力な支持母体、いや、既得権という点から両者は一体化しているといっても過言ではありません。

真の保守とは何か

有本　既得権という点では、自民党や既存の政党は優遇されています。そのため、新たな政党の参入は難しい。私たちの日本保守党が国政に参加しようとしたときに、「保守としての政治を変え既得権を打ち砕いてほしい」という声をたくさん頂きましたが、十倉会長の発言を聞いて、改めて、この言葉の重要性を痛感しました。こうした話をイスラム思想研究者の飯山陽《あかり》さんにしたところ、飯山さんは「あさ8」でこう語ってくれました。

「保守というと、これまでの体制を守ることだと考える人が多いですが、そうなると自民党の利権なども守らなくてはならないことになります。そんなものは守るべき対象ではありません。『消費税を上げたら献金してやる』と話す公開圧力団体の経団連に違和感を覚えるのも保守です」

百田　きわめて正論ですね。

有本　やはり自民党は、保守政党だとは思えません。「岸田首相に舵取《かじと》りを任せていたら、日本の国柄《くにがら》も日本人の生活も毀損《きそん》されるのではないか」——そうした危機感を抱くことができる思考が、真の保守なのです。

国民の知的レベルが高いにもかかわらず、なぜ日本では投票率が低いのでしょうか？　なぜ日本人は政治に関心を示さないのでしょうか？　私は、やはり政治家に「特権」を与えてしまっている点に問題があると思います。

繰り返し行われてきた政治改革でも、この「特権」は打破されませんでした。そのため多くの国民が、ある種の諦念《ていねん》を抱いているのです。政治家を市民や国民と同じような存在にしてしまえば、政治を気楽に、そして身近に捉《とら》えることができるようになると思います。

消費税を減税しない財務省の論理

百田　二〇二三年一〇月五日、自民党の若手議員たちが消費税減税を提言しました。「産経新聞」は、以下の通り報じています。

〈自民党の若手議員らによる「責任ある積極財政を推進する議員連盟」のメンバーは五日、党幹部を相次いで訪ね、新たな経済対策を巡り、政府に対し消費税率の五パーセントへの時限的引き下げや二〇兆円規模の財政出動などを求める提言を手渡した。

議連の中村裕之共同代表は世耕弘成《せこうひろしげ》参院幹事長と面会し、「生活者が実感できる減税を経済対策でお届けしたい」と訴えた。世耕氏は消費税減税については触れず「緊縮的な、あるいは増税のようなメッセージを出すことがあってはならない。財政は需要、供給をともに上げて、潜在成長率を上げていくというメッセージを出すことが重要だ」と述べた。

中村氏らはこの後、党本部で萩生田光一政調会長とも面会した。面会後、中村氏は記者団に、提言を受け取った萩生田氏が「岸田文雄首相から新たな税目の減税について指示を

受けている段階にないので、その主張は党の各部会で積極的に議論を交《か》わしてほしい」と述べたと説明した〉

有本　自民党では二〇二〇年にも一〇〇人近くの議員が集まり、消費税減税を訴えました。しかし、結局は声を上げただけで終わりました。責任ある積極財政を推進する議員連盟の活動も、おそらく一種のパフォーマンスではないかと感じてしまいます。

この点を、元財務官僚で内閣官房参与も務められた、嘉悦《かえつ》大学教授の髙橋洋一氏に「あさ8」で伺いました。

「自民党は消費税減税をする気はないでしょうね。消費税減税について触れなかった世耕氏は、おそらく所得税と法人税の減税を検討するつもりなのだと思います。一方の萩生田氏の『岸田文雄首相から新たな税目の減税について指示を受けている段階にない』というコメントは、『私には関係ない』と言っているのに等しいです」

企業の業績は伸びているし、株価も上がっている。にもかかわらず巷《ちまた》では「生活が厳しい」という声をよく耳にします。私は毎日スーパーで買い物をしていますが、とにかく食材が値上がりしています。だからこそ減税すべきなのですが、そんなに消費税を減税するのは難しいことなのか？　髙橋氏は次のように述べておられます。

「財務省が反対しているから難しいのです。国会議員も財務官僚も、常に消費税を減税しない理由を『社会保障目的だから』と説明します。しかし、実際にはそんなことは関係ありません。単に消費税を上げるのが難しいから下げたくないだけなのです。

もし消費税減税以外の方法で国民からの支持を集めたいなら、社会保険を一年間免除するのが簡単かつ効果的だと思います。国民は年間一〇万円ほどの社会保険料を払っています。これが免除されたらありがたいでしょう。減税するわけではないので、手続きも楽です」

百田　負担が減れば国民はホッとしますが、ただ景気を回復させるためには、やはり消費税を下げるのが最も効果的でしょう。国民ならおカネを使おうと、企業なら設備投資をしようと考えるはずです。

有本　消費税減税を実現させるとなると、決定から実行までタイムラグが生じるから、その間に買い控えが起きてしまい、経済が冷え込むという声もあります。来月から消費税が下がるとなると、今月は買い物を控えようとする人が増えるということです。

この点について髙橋氏は、次のように指摘しました。

「一九八九年に三パーセントの消費税が導入されたときには、駆け込み需要がありました。しかし一九九七年に五パーセントへ、二〇一四年に八パーセントへ、二〇一九年に一〇パーセントへと増税されるたびに、駆け込み需要は減退しました。減税する際も、買い控えはさほど起きないのではないでしょうか」

百田　不動産や自動車など高価な買い物ならば控えるかもしれません。数パーセントの差が大きいですから。ただ、日用品を買わなくなることはないでしょう。だからこそ、「消費税減税で経済状況が著《いちじる》しく悪化する」などということはありません。

それと消費税減税についてはどうしても一言いいたいことがあります。木原誠二氏は、二〇二四年五月二六日放送の報道番組「日曜報道 THE PRIME」（フジテレビ）に出演し、この消費税減税について驚くべき発言をしました。

「たとえばその消費税で言えば価格表も変えなければいけない」

木原氏は国民を完全にアホだと思っているんです。「値札を貼り替えるのに手間がかかるから難しい」と言われて、「ああ、そういえばそうやな。商品いっぱいあるもんなあ。あんなもんいちいち貼り替えていたら無理やな」などと思う人いますか？　なめとんのか！　と言いたい。たとえばスーパーでは毎日夕方になったら二割引き、夜になったら五割引きといったかんじで値札の貼り替えなどしょっちゅう行っています。消費税が仮に一〇パーセントから五パーセントに減税されたら小売りは喜んで値札を貼り替えますよ。売れるんですから。それも毎日貼り替える必要はなく一度貼り替えてしまえばそれで済む。「値札の手間がかかるから」と言うのであれば、同じ理屈で消費税増税も絶対にできませんね、ナカキタさん！

国民は四万円の減税で首相は四六万円の昇給

有本　二〇二三年一一月二日、岸田内閣は「デフレ完全脱却のための総合経済対策」を閣議決定しました。対策では所得税減税を盛り込み、納税者と配偶者を含む扶養家族一人につき二〇二四年分の所得税を三万円、住民税を一万円減税することを決めました。そして住民税非課税の世帯には、一世帯あたり七万円給付します。なお、その財源は二〇二一〜二二年の税収の上振れ三・五兆円を充てます。

百田　ＪＮＮが二〇二三年一一月四日と五日に行った世論調査によると、定額減税の方針を「評価する」と答えた人は二六パーセントで、「評価しない」と答えた人は六四パーセントでした。「評価する」と答えた人は、おそらく定年退職者や年金生活者です。彼らは減税の対象にはならないので、七万円支給されます。だから評価したのだと思います。

私は高額納税者ですが、所得税と住民税を四万円引いてもらえるだけです。つまり働いていない人のほうが得していているわけですね。こんなものは減税とはいえません。

有本　住民税非課税世帯の七割近くが高齢者です。当然、なかには生活が困窮している人もいますが、そうでない人も含まれています。どんなに資産を持っていても、前年に収入がなければ、住民税は非課税になります。つまり、億万長者のなかにも非課税になる人がいるわけです。そんな大金持ちにも七万円が支給されます。

しかし、高齢者にお金を支給しても、大半の人は使いません。高齢者は子育てを終えているし、年金が支給されているので、生活にさほどお金がかからないからです。逆に子育て世代では、近年のインフレで出費がかさんでいながら、昇給は時間差でやってきます。だから子育て世代にこそ、お金を支給すべきなのです。

百田　自民党政権を支えているのは高齢者です。穿《うが》った見方をすると、自民党は投票率の高い高齢者に手厚い政策を取っているのではないでしょうか。働き盛りの二〇～三〇代は、あまり選挙に行かない。だから、この世代にはお金を支給する必要はない。そんな発想で決まった減税策ではないかと思ってしまいます。

さらにいえば、岸田氏は政治的な勘が鈍い。というのも、人気取りのため、しょぼい経済対策を掲げたあと、すぐに二〇二三年一一月一七日、参議院本会議で改正給与法を可決させ、自身の給与を四六万円も上げたからです。額《ひたい》に汗を浮かべて働いている納税者は、一人たった四万円の減税、で、自分はごっそり四六万円の昇給……並みの神経ならば、こんなことは実行不可能なので、おそらく岸田氏が世間でいわれている通りの三世議員、ボンボンだからなのでしょう。普通の人の感覚がまるで分からないどころか、自分のやっていることがどう見られるかも分からない。

結局、岸田氏は、増額分を全額国庫に返納することを発表しましたが、だったら最初から増額しなければいい。それに首相が代わったとき、次の首相が全額返納するとは限りません。改正給与法を国会で通すべきではありませんでした。

有本　岸田氏には、国民が何を見て何を考えているかという、最も基本的なことを実行できていないように感じます。

百田　世襲議員やエリート官僚は、世間から逸脱した人たちですから。国民の感情など、いっさい理解できないのでしょう。

財務省は日本の「ディープステート」か

有本　二〇二三年一一月、二〇二一年と二二年の税収が見積もりを上回ったことから、岸田首相が「減税で還元する」と発表しました。ところが二〇二三年一一月八日の衆議院財務金融委員会では、鈴木俊一財務大臣は、「税収増分は国債償還などに充てられ、還元する原資がない」と述べました。

これに対して髙橋洋一氏は、Xで〈これはZが岸田首相のハシゴを外したな〉（二〇二三年一一月八日）と感想をポストされました。Zとは財務省を指します。その背景を、髙橋氏に「あさ8」で語ってもらいました。

「一一月二日の閣議決定では、経済対策として、増加した過去二年分の税収を原資に所得減税をする、と決めています。しかし、鈴木財務大臣は一一月八日の財務金融委員会で減税を否定してしまいました。もっとも鈴木大臣に何某《なにがし》かの意思があるわけではなく、財務官僚の作ったペーパーを読んだだけなのですが……。

いずれにせよ、閣議決定後、一週間も経たずに、財務省はその内容を否定したわけです。もし経済対策として二〇二四年の所得税減税を実行するとなると、二〇二三年一二月末に成立させるためには、一〇月二〇日に召集された臨時国会で税制改正をしなければなりません。ところが宮澤洋一自民党税制調査会長は、それを否定しています。やはり岸田首相は、ハシゴを外されたのです」

なぜそのようなことをするのかも、髙橋氏に伺いました。
「岸田首相の親族には財務省出身者が多い。だから岸田首相は『所得税減税』などと言ってはいけないのですよ。ところがネット上で『増税メガネ』などと揶揄《やゆ》され、思わず減税を口走ってしまったのでしょう」

百田　財務省からすると、岸田首相にお灸《きゅう》を据《す》えたつもりだったのかもしれませんが、首相も国民も愚弄《ぐろう》しています。

税収が増えたから、岸田首相は国民に分配すると発表した。この発想は自然です。それを財務省が覆《くつがえ》そうとするのは、明らかな越権行為です。

有本　これでは財務省は、まさに日本の「ディープステート」ではありませんか。なぜ財務省に「一〇月からの臨時国会で減税を決める」と指示できなかったのか？　髙橋氏はこう解説します。

「税制改正を実現させるなら、締め切りから逆算してスケジュールを組まなくてはなりません。岸田首相の周りには、それをしてくれる人がいなかったのでしょう。

そうして、八月くらいには指示しないと、税制改正は実現しません。九月以降に指示しても、財務官僚から『間に合いません』と言われるだけです。

ただ、このスケジュールについても、元財務官僚の側近、木原誠二衆議院議員が把握していたはずです。しかし岸田首相はやりたいことがはっきりしない人なので、周りの人たちは何に集中して取り組んだらいいのか分からなかったのかもしれません」

百田　岸田氏は、財務省出身の親族に、「このまま減税するなどと言っていると首を獲《と》られてしまう。ただ、知らん顔で減税を見送れば首が繋がる」などと言われたのかもしれません。

このように、岸田氏は財務省に「急所」を握られている。そのため経済状況を劇的に回復させるような政策、効果的な減税などは、今後も期待できそうにありません。

岸田首相のスーパー視察の「やらせ感」

有本　そんな岸田首相が、物価高に苦しむ〝庶民の目線〟で、都内のスーパーを視察しました。FNNは以下の通り報じています。

〈岸田首相は（二〇二三年一〇月）一六日、東京・江東《こうとう》区内のスーパーマーケットを視察した。野菜売り場や肉売り場などを見て回り、店の従業員から価格高騰の背景について説明を受けた。岸田首相は「鶏肉の価格が落ち着いている理由は？」などと尋ね、飼料価格の高騰が一服していることなどの説明を受けた。

その後の従業員らとの対話で岸田首相は「総理になる前は息子と過ごしていた。男所帯で鍋物をつくるとき、お肉や野菜をスーパーによく買いに行った。比較しやすいので野菜や肉を中心に見たが、確かに高くなっている。特に野菜は酷暑で値段が上がっているという話を聞いた。確かに価格が上がっている」と述べた〉(二〇二三年一〇月一六日)

百田　これはいったい、何のためのパフォーマンスなのでしょうか……記事によれば、店の従業員に、〈「鶏肉の価格が落ち着いている理由は?」などと尋ね〉たそうですが、官僚が考えた台本どおりに質問しただけでしょう。答えた従業員も、事前に「総理は『鶏肉の価格が落ち着いている理由は?』と質問します」と教えてもらっていたと思います。

つまり、テレビ番組のやらせと同じです。台本なしで、こんな会話をするはずがありません。長らくテレビの放送作家を務めてきた私が言うのですから、信憑《しんぴょう》性《せい》は高いと感じていただけるのではないでしょうか。

有本　たしかに鶏肉の価格をめぐるやり取りは「やらせ感」満載で、中国や北朝鮮の指導者の視察を彷彿《ほうふつ》とさせます。

岸田氏の周りにいる人には、真面目《まじめ》に仕事をしてもらいたいと思います。視察することが決まって、大慌てで従業員とのやり取りを仕込んだのでしょうが、もっとほかに大切な仕事があるはずです。

百田　一国の首相が、真面目にこんなことをしている……スーパーの試食コーナーで試食して「おいしい」では格好がつかないから、鶏肉の価格に関するQ&Aを考えた……ほんまにアホです。

日本国内のサプライチェーンが復活

有本　安倍政権で内閣官房参与を務めたエール大学名誉教授の浜田宏一氏が「東京新聞」（二〇二三年三月一四日付）のインタビューに応じ、アベノミクスについて「意外で、いびつな状況だ」と述べました。インタビューで浜田氏は、以下の通り語っています。

〈――大規模な金融緩和で大企業の収益が改善したのに、賃金が上がらなかったのはなぜだと考えるか。

「長いデフレが続いたことで、みんな物価上昇に悲観的になった。（企業の行動が）出血してでも（低価格で）ものを売るような商売になってしまった。消費税増税でも企業が商品に価格転嫁できず、労働者などの川下《かわしも》にツケが回ったのではないか」

――「ツケが回る」とは、大企業がもうけても下請けの中小企業は取引価格を上げられず、労働者の賃金も上がらない状況のことか。

「そうだ。いびつな状況だといえる」

――一〇年間たっても賃金があまり上がらなかったことは予想外だったのか。

「予想外だった。僕は漠然《ばくぜん》と賃金が上がっていくと思っていた。安倍首相もそう思っていたと思う。賃金がほとんど増えないで雇用だけが増えるようなことに対して、もう少し早く疑問を持つべきだった。普通の経済学の教科書には、需要が高まっていけば実質賃金も上がっていくはずだと書いてある。ツケを川下の方に回すようなシステムで調整されるなんてことは書いていない。意外で、望ましくない方向にいっている〉

百田　私が驚いたのは、〈大企業がもうけても下請けの中小企業は取引価格を上げられず、労働者の賃金も上がらない状況〉だという点です。大企業は利益をどこにやったのかといえば、株主の手に渡したのです。

昔から「会社は誰のものか」という議論があります。近年は「会社は株主のものだ」という考えが大手《おおで》を振っているようです。一方、「株主の配当を減らすべきだ」と主張する人もいます。株主の配当が高すぎると、売上の多くを株主が吸い上げることになり、社員の給料が上がらないからです。

有本　日本は他国に比べて中小企業が多く、なんと日本に存在する企業の九九・七パーセントが中小企業です。そのなかでも小規模企業が九割弱を占めており、この小規模企業が全雇用の四分の一を吸収しています。

日本経済が元気だった時代には、小規模企業でも、社員の給料を上げることができました。しかし三〇年以上続いたデフレによって、多くの日本人が「安いことがいいことだ」と考えるようになり、企業は価格競争を続けた。すると薄利多売ができない小規模企業は低迷することになりました。

また、大企業が海外に下請けを任せるようになったことも、日本経済を低迷させた原因です。それ以前は日本国内でサプライチェーンを構築しており、大企業の下には中小企業が存在していたのですから。

実際、かつては、日本のあちこちに個人経営の町工場がたくさんありました。大企業の売上は町工場にまで届いていました。だからこそ、日本経済は元気だったのです。

ところが大企業は、より安い労働力を求めるようになり、中国などの国へ進出しました。民主党政権が異常な円高を放置していたことも、その要因の一つになりました。

すると、国内の町工場はどんどん潰《つぶ》れていってしまったのです。日本企業は、自ら構築した、理想的ともいえるサプライチェーンを破壊してしまいました。

日本人はもっと自信を持っていい

百田　とはいえ、近年は中国人の人件費も上がったので、いまさら中国に進出しても儲かりません。

有本　もともと日本は「もの作り」で発展した国です。近年、日本政府はインバウンド政策に力を入れているようですが、サービス業や観光業だけでは、一億二〇〇〇万人の国民を食べさせることはできません。実際、二〇二三年のインバウンド消費額は五・三兆円、同年のGDP五九一・五兆円に比べると、一〇〇分の一以下です。やはり、もう一度国内でサプライチェーンを構築し、製造業を復活させるべきでしょう。

安倍政権は中国とのデカップリング（分離）に取り組み、中国から撤退する日本企業に補助金を支給しました。この補助金の支給が決まると、当初の見込みの何倍もの企業から応募があったそうです。

この制度は次の菅義偉《すがよしひで》政権によって廃止されてしまいましたが、いまこそ復活させるべきだと思います。なぜなら、世界最先端の半導体を製造する台湾のTSMC（台湾積体電路製造）社が熊本県に工場を建設しましたが、その理由は、製造装置やフォトレジストなど素材を製造する企業が日本に蝟集《いしゅう》しているからなのです。すなわち日本には半導体のサプライチェーンがある。日本人はもっと、自分たちの技術と企業に自信を持つべきなのです。

百田　日本を変えるのではなく、日本の政治を変え、政策さえ変えれば日本を豊かに、強くできる。そのことをもっともっと訴えていきたいですね。

あとがき

「おはようございます。日本の朝八時です！」

月曜から金曜の毎朝、この科白《セリフ》を言い続けて早四〇〇〇回超。一年と八カ月が過ぎました。

二〇二二年一一月、百田尚樹さんの気まぐれに、私が乗って「いいかげん」に始めたYouTube番組『ニュース生放送 あさ8時！』が、こんなに長く続き、毎日三〇万回もの視聴をいただくようになり、しかも「あさ8」の本まで出版されることになるなんて、開設時は夢にも思いませんでした。

番組を始めた経緯は、おおむね「まえがき」で百田さんが書いているとおりですが、ところどころ話が盛られているといいますか、少々実態と異なる部分があります。しかしそこはいつもの「百田劇場」の延長です。いちいち訂正していると、あとがきの紙幅《しふく》が足りませんので目をつむります。

「あさ8」を始めたとき、何もありませんでした。

スポンサーなし（当然、資金なし）、週に何回やるかという計画もないまま始めました。百田さんと私の手弁当（かかる費用、スタッフのギャラは二人で折半）、完全手作りでどこまでやれるか、という遊び半分のチャレンジだったのです。しかし、この「ないない尽くし」の挑戦を面白がってくれた視聴者さんがいたお蔭で、「あさ8」は継続することができました。

草創期からご視聴くださっている皆様には特段の感謝を申し上げます。

ないない尽くしとはいえ、それでも「配信スタッフは絶対必要」と私が言い（当初、百田さんは「スマホでセルフ配信すればええやろ」と言っていた）、百田さんが「ニュース原稿を作る放送作家は要《い》るやろ」と言ったので、配信のお二人（清水貴志さん、渡邉有成さん）と、放送作家（現在は演者の一人でもある）の森下つよしさんに加わっていただきました。

ただし、お三方に「来週月曜から頼む」と仕事の依頼をしたのは、前週金曜の夜のことでした。番組スタートまでの準備二四時間という、この上もない「やっつけ仕事」に付き合ってくれたお三方なしには、「あさ8」は誕生しませんでした。ここでお三方にあらためて御礼申し上げます。

当然、スタジオはないので私の仕事場を配信場所とし、今のような綺麗なサムネイルも配信フレームもなし。当初は、大きく「#あさ8」と記したコピー用紙を机の前に立てて配信するという、到底、プロのテレビマンだった百田さんが関わっているとは思えないような「手作り感」満載の仕立てで、一カ月ほど配信していました。

やっつけスタートの象徴として残ったのが、「ニュース生放送 あさ8時!」(通称「あさ8」)という番組名です。当初は仮称のつもりでしたから、末尾に(仮)と付けていました。百田さんははじめ「何や、このええ加減な名前は。いくらなんでもテキトー過ぎるやろ」と言っていたのですが、時間が経ち視聴者の皆様が「あさ8」と呼び親しんでくださるのを見て、「ええ名前やな。誰が考えたんや」と評価を一変させました。こういう変化は、百田さん〝あるある〟です。

百田さんの「まえがき」にあるとおり、月曜から金曜通しでの「帯番組」としてやろう、と無謀なことを言い出したのは私でした。百田さんは「そんなん無理に決まってる。僕は無理や」と言いましたが、私は、始めた限りは、中途半端には終わらせたくないと思いました。皆さんに知られ、視聴習慣の一つにしていただきたい。そのために、何とか頑張って「帯」でやることに拘《こだわ》りました。

「毎日なんて大変でしょう」と今もよく言われますが、キツかったのは最初の一月ほどでした。ニュースの仕込み、スタッフとの調整に多少頭を悩ませたことに加え、当時は、交通事故で骨折した足が完治していなかったこともあって体調が万全とはいえませんでした。

苦しい最初の一カ月を乗り切った頃、幸運にも新たな強力援軍が現れ始めました。今日、魅力的なサムネイルや番組フレームをデザインしてくださっているデザイナーの本田幸江さんが加わり、翌春には三人目の配信スタッフとして加来進さんが加入。前年末に配信の渡邉さんがコロナに罹《かか》り、清水さんの孤軍奮闘となったときの恐怖は、賀来さんの加入で解消されました。

こうして、「あさ8」を支えるスタッフ陣ができあがり、今日に至ります。今では、私が何も言わずとも相互にコミュニケーションを取り、協力して問題解決にあたってくれています。

今でも「あさ8」はこんなに少ない人数でやっているの？　とビックリされたりもしますが、まさに少数精鋭、素晴らしいスタッフに恵まれていることを私は誇りに思っています。「あさ8」の成長は、実はカメラに映らないところにいて黙々と支えてくれるスタッフあってのことだということを、どうしても「あとがき」に書きたいと思いました。

もちろん出演者の方々への深い感謝は言うまでもないことです。皆さんの高い見識と深い洞察によって、「あさ8」が他にないユニークな人気番組になったことは間違いありません。

そして忘れてはいけないのですが、「あさ8」が、曲がりなりにも「ネットの人気番組」となった最大の要因はやはり、エンタメの天才・百田尚樹の存在です。道化《どうけ》のような振舞いが目立ち、真面目な視聴者からは「もう視聴をやめます」というお叱りコメントをもらうこともしばしばな百田さんですが、実は番組の根幹にかかわる重要な指示を出すこともしばしばなのです。肝心なときには裏で汗をかく実働もしてくれますが、それをけっして表に見せないのが百田さんらしいところです。

おっと、もう一つ、忘れてはいけません。本書のタイトル、「放送禁止。」についてご説明します。

「放送」とは、テレビやラジオといった「放送法」の下《もと》にある地上波メディアでの発信を指します。一方、ネット番組には「配信」という表現が使われます。

こうした区分けもあるせいか、ネットでは「テレビが触れない」ネタが扱われます。「あさ8」はそういうネタの宝庫といって過言でないでしょう。

よく視聴者の方から、「テレビを見ていた頃には知らなかった話ばかりで驚きました」

と言われます。再エネの問題しかり、ＬＧＢＴ問題しかり。テレビは触れない。国民にとって極めて大事な問題ばかりなのに、なかったことにされている。まさに「放送禁止」領域なのでしょう。

その「放送禁止」ネタを、地上波だったら「ピー音」が入りそうな「危険ワード」も敢《あ》えて時折織り交ぜて配信しているのが「あさ８」です。よかったら、ご家族やご友人にもおすすめください。本書の裏表紙側にあるカバー袖に印刷されたＱＲコードから簡単に番組サイトへ飛べます。

見せ方は洗練されてきましたが、今でも、「あさ８」は手弁当・手作りなままです。百田さんか私が倒れでもしたら、突然「番組終了」となるかもしれません。そんな無責任な、と思われるかもしれませんが、こんな無謀な番組を引き継ぐ人はいませんので、ご容赦ください。

ただし、番組が続く限り、「放送禁止。」の精神は貫きます。

「放送禁止。」の精神とは、エロ・グロ・ナンセンスのような類《たぐい》ではなく、偽善的な地上波放送が怖がって触れない、真に重要な問題に深入りするチャレンジ精神です。

百田尚樹と私、有本香は、共に既に還暦を過ぎています。二人共、近年、死にかけました。もはや恐れるものはありません。微力ながら、生み育ててくれた日本を良くする一助になりたいと願うだけです。その一つの試みである「あさ8」を、今後とも何卒よろしくお願い申し上げます。

最後に、「あさ8」での膨大な量の我々の喋りを、上手に書籍化してくださった編集者の沼尻裕兵さん、飛鳥新社さんに深く感謝申し上げます。

令和六年七月

有本　香

百田尚樹（ひゃくた・なおき）

1956年、大阪市生まれ。同志社大学法学部中退。テレビの放送作家として『探偵ナイトスクープ』等の番組構成を数多く手掛ける。2006年、『永遠の０』で作家デビュー。『海賊とよばれた男』で第10回「本屋大賞」を受賞。2022年11月、有本香氏とともにネット生放送番組「ニュース生放送 あさ8時！」（月～金）を立ち上げ、2023年９月、「日本保守党」を結党。著書に、『日本国紀』、『禁断の中国史』など多数。

有本 香（ありもと・かおり）

1962年、奈良市生まれ。静岡県西伊豆育ち。東京外国語大学卒業。旅行雑誌編集長、上場企業のIR等を経て独立。国土交通省政策懇談会委員、内閣府死因究明等推進会議委員、大阪府人事監察委員を務める。2022年に紺綬褒章を受章。2022年11月、百田尚樹氏とともにネット生放送番組「ニュース生放送 あさ8時！」（月～金）を立ち上げ、2023年９月、「日本保守党」を結党。著書に、『中国はチベットからパンダを盗んだ』『小池劇場の真実』などがある。

放送禁止《ほうそうきんし》。「あさ8」で知《し》るニュースの真相《しんそう》

Hanada新書 001

2024年8月10日　第1刷発行

著　　者　百田尚樹・有本 香
発 行 者　花田紀凱
発 行 所　株式会社 飛鳥新社
〒101-0003
東京都千代田区一ツ橋2-4-3 光文恒産ビル 2F
電話　03-3263-7770(営業)　03-3263-5726(編集)
https://www.asukashinsha.co.jp
装　　幀　ヒサトグラフィックス
印刷・製本　中央精版印刷株式会社
編集協力　仙波 晃

ISBN 978-4-86801-025-8

編集担当　沼尻裕兵